Les épîtres de Marguerite

COLLECTION FOCUS

ROMANS EN GRANDS CARACTÈRES

Marguerite Lescop

Les épîtres de Marguerite

Guy Saint-Jean
ÉDITEUR

Catalogage avant publication de Bibliothèque et Archives nationales du Québec et Bibliothèque et Archives Canada

Lescop, Marguerite, 1915-
Les épîtres de Marguerite [texte (gros caractères)]
(Collection Focus)
ISBN 978-2-89455-271-1
1. Méditations. 2. Dieu (Christianisme) - Paternité - Méditations. 3. Jésus-Christ - Méditations. 4. Saint-Esprit - Méditations. 5. Livres en gros caractères.
I. Titre. II. Collection: Collection Focus.
BX2183.L474 2009   242   C2009-941142-3

Nous reconnaissons l'aide financière du gouvernement du Canada par l'entremise du Programme d'Aide au Développement de l'Industrie de l'Édition (PADIÉ) ainsi que celle de la SODEC pour nos activités d'édition. Nous remercions le Conseil des Arts du Canada de l'aide accordée à notre programme de publication.

Gouvernement du Québec — Programme de crédit d'impôt pour l'édition de livres — Gestion SODEC

Conception graphique: Christiane Séguin

Dépôt légal — Bibliothèque et Archives nationales du Québec, Bibliothèque et Archives Canada, 2009
ISBN: 978-2-89455-271-1

Distribution et diffusion
Amérique: Prologue
France: De Borée
Belgique: La Caravelle S.A.
Suisse: Transat S.A.

Guy Saint-Jean Éditeur inc.
3154, boul. Industriel, Laval (Québec) Canada. H7L 4P7. (450) 663-1777.
Courriel: info@saint-jeanediteur.com • Web: www.saint-jeanediteur.com

Guy Saint-Jean Éditeur France
30-32, rue de Lappe, 75011, Paris, France. (1) 43.38.46.42.
Courriel: gsj.editeur@free.fr

Imprimé et relié au Canada

Je dédie ce livre à ma précieuse amie
Margot Eudes.

Sans ton écoute attentive,
à toute heure du jour et de la nuit,
et tes encouragements répétés,
les épîtres ne se seraient jamais
rendues à destination.

De la même auteure

Le tour de ma vie en 80 ans,
Éditions Lescop, Montréal, 1995.

En effeuillant la Marguerite,
Éditions Lescop, Montréal, 1998.

Préface

Ces épîtres sont à lire, et pour dix bonnes raisons, au moins!

1. Marguerite Lescop a encore, a toujours quelque chose à nous dire.

2. Elle le dit fort bien.

3. Elle le dit dans son style à elle: une phrase bien roulée, des mots ajustés au ton qu'il faut; parfois, un mélange de verbes et de nominatifs qui invitent au sourire.

4. Notre auteure, qui ne veut surtout pas faire la leçon à qui que ce soit — vieillesse et sagesse! — réussit néanmoins à dire ce qu'elle a sur le cœur. D'un ton à la fois conciliant et vrai.

5. Les propos qu'elle effeuille dans ce nouveau livre sont des plus sérieux. Oui, mais quelle générosité, quelle délicatesse!

6. Grâce à un don remarquable pour la communication, Marguerite Lescop peut se risquer à dialoguer même avec son Dieu, avec Jésus, et chercher à deviner certains secrets de l'Esprit saint.

7. Parce qu'elle possède un sens quasi inné de l'adaptation, elle a su, dans le plus grand respect de celui, de celle qui la lira, amener un dialogue sur la vie intérieure et sur le sacré qui ne peut être que bénéfique à qui s'en remet à ses propos souvent très savoureux.

8. Ces lettres, qui pourraient n'être que fictives, nous invitent à une réflexion essentielle sur les valeurs religieuses.

9. Il y a de la magie dans ce livre, en ce sens que, malgré qu'il soit divisé et divisible, chaque épître appelle d'autres pensées. «Je n'arrive pas à te quitter», titre de la trente et unième épître, me paraît convenir à la réaction du public, qui ne se lasse pas d'entendre Marguerite, non plus que de la lire.

10. C'est toute la valeur et l'actualité de ces épîtres, qu'elles nous offrent, ainsi que le suggère l'auteure à propos de l'Esprit saint, dans sa dernière épître, de grands moments de douce réflexion... et de joyeux silence.

Benoît Lacroix, dominicain.

Avant-propos

Pourquoi, en ce 1er août 1999, une muse discrète et timide vient-elle frapper à ma porte? Elle me donne tout à coup le goût de reprendre le stylo, la feuille blanche et les dictionnaires.

Je sais par expérience que l'écriture est un sentier parsemé de broussailles. La première fois que je m'y suis aventurée, c'était par hasard. Je voulais chasser l'ennui qui m'envahissait. Le résultat s'avéra positif. La monotonie disparut subito presto de mon quotidien. Le temps filait à vive allure. La frénésie de l'écriture m'habitait jour et nuit.

La création littéraire ressemble étrangement à un accouchement. Avec sept enfants à mon crédit — et bientôt, un troisième livre — je sais de quoi je parle.

La rédaction de mon premier livre s'est faite dans l'ignorance et l'insouciance du néophyte. *Le tour de ma vie en 80 ans* est né le 8 novembre 1995, jour de mon anniversaire de naissance. À cette occasion, un bref bulletin de santé fut émis: «Malgré un accouchement difficile, la mère et l'enfant se portent bien.»

Bientôt cet enfant, ne voulant pas rester unique, me réclama à grands cris un petit frère ou une petite sœur. Vu mon âge avancé, je faisais la sourde oreille. Toutefois, il m'apportait tant de joies, me faisait vivre de si belles expériences que je finis par céder: sa petite sœur, *En effeuillant la Marguerite*, vit le jour le 19 octobre 1998. C'est une fillette simple et joyeuse qui grandit dans l'ombre de son frère. Pauvre petite! Elle a failli être un garçon et s'appeler *Avant de lever les pattes*. Quelle horreur! J'en frémis rien qu'à y penser. *What's in a name*, a déjà dit quelqu'un... Beaucoup, me semble-t-il.

Après ces deux maternités littéraires, je suis vidée, épuisée, c'est normal. La source de l'inspiration est tarie. Je n'ai plus rien à dire. Dans ce cas, il vaut mieux se taire, déposer son stylo, laisser les feuilles blanches, ranger les dictionnaires, et ne rien faire. Le *farniente*, la paresse quoi! On appelle cela profiter de la vie. Je n'en suis pas si convaincue...

J'entendais constamment une voix doucereuse me souffler à l'oreille des propos tentateurs: à ton âge, 83 ans et demi, tu as bien mérité de te reposer. Pauvre vieille! Arrête de travailler. L'heure de la retraite a sonné depuis longtemps pour toi. Prends ton temps, ça ne changera pas le monde... C'est vrai mais... Heureusement, je me réveille à temps et dis non à tous ces discours négatifs et mensongers.

Sans me poser plus de questions, je fonce, tête baissée, vers ce nouveau défi... Je ressors stylos, feuilles blanches, dictionnaires et un peu de mon expérience spirituelle — le mot est lâché: le spirituel — et je me remets à l'écriture.

Le monde de la spiritualité et ses manifestations m'ont toujours fascinée. Dès ma tendre enfance, j'aimais accompagner ma mère à l'église. Les cérémonies religieuses ne me paraissaient jamais trop longues. L'encens, les lampions à allumer, l'eau bénite, les enfants de chœur (déjà!), les statues des saints et des anges nourrissaient ma jeune imagination. Pourtant, j'étais loin d'être un ange moi-même, plutôt un petit diable !

Au fil des ans, j'ai découvert que, derrière tous ces symboles, se cache un Être suprême qui ne demande qu'à être connu et aimé. Parler de spiritualité, c'est parler de Dieu, de l'au-delà, de l'âme, de la foi, de la prière. C'est un sujet délicat qui n'est pas particulièrement à la mode de nos jours. Il ne fait pas la une des journaux, revues et médias. Moi qui ne suis ni théologienne, ni sainte (d'après mes proches), ai-je le droit, et surtout la qualification, d'aborder un tel sujet ? J'ai simplement ma petite expérience personnelle et cette phrase célèbre d'André Malraux sur laquelle je m'appuie : « Le vingt et unième siècle sera spirituel ou ne sera pas. »

S'agissait-il d'une phrase prophétique ? Que voulait dire cet homme qui n'était pas croyant, au sens où on l'entend habituellement ? Il cherchait la vérité et la justice. Il croyait aux valeurs spirituelles. Il voyait le vingtième siècle, devenu tellement matérialiste, courir inévitablement à sa perte.

Que faire pour retrouver les valeurs de justice, de paix et d'amour sur la terre? Comme je n'ai pas de réponses à toutes ces questions, j'ai pensé m'adresser directement à l'Auteur de la vie: Dieu lui-même. Toutefois, pour ce faire, j'ai choisi le style épistolaire; c'est plus sûr. On dit que les paroles s'envolent et que les écrits restent. J'avoue qu'écrire à Dieu et exiger une réponse demande un certain culot mais j'en ai. J'ai toutes les audaces. Je vais lui parler comme un enfant parle à son père. N'a-t-il pas dit lui-même: «Si vous ne devenez pas comme des petits enfants, vous n'entrerez pas dans le royaume des cieux.»

Comme je suis à la porte de ce royaume, le nez collé dessus, une main sur la poignée, je veux bien y entrer et devenir un petit enfant. L'expression «tomber en enfance» a quelque chose de réconfortant. Elle me convient bien. Une fois «tombée en enfance», je veux surtout «tomber en amour».

ÉPÎTRES
À DIEU LE PÈRE

Première épître

Montréal, le 1er août 1999

Cher Bon Dieu,
Veuillez, s'il vous plaît, excuser ma familiarité et mon sans-gêne, mais j'ai l'intention d'être vraie et directe. C'est ainsi que vous m'avez créée, et il n'est pas bon de contrarier la nature.

Mieux vaut établir immédiatement le ton que prendront nos relations; ainsi il n'y aura ni équivoque, ni malentendu entre nous. Je vous permets de me reprendre si nécessaire. En vieillissant, je deviens moins susceptible. J'accepte plus facilement les conseils. D'ailleurs, en maintes circonstances, j'ai su remarquer votre extrême délicatesse à mon égard: vous suggérez et ne forcez jamais. Cette méthode est surtout efficace avec les natures rebelles comme la mienne. Je vous devine fin psychologue. Vous l'êtes sûrement. Pour ma part, je me permettrai quelques petits conseils, à l'occasion, toujours dans votre intérêt, bien entendu.

Après tout, vous êtes mon Père. Vous l'avez dit vous-même : «Notre Père qui êtes aux deux...» On ne se gêne pas avec son père. Les théologiens vont même jusqu'à affirmer que vous êtes à la fois père et mère. Quelle découverte! Vous êtes donc complet en amour, si je peux m'exprimer ainsi (le vrai beau *package deal*). Toutes ces révélations me donnent le goût et la joie de continuer à vous écrire. Déjà, je suis tout excitée!

Comment allez-vous, cher Bon Dieu? Bien, je l'espère. J'apprends que tout continue à bien aller là-haut, pas d'anicroche, pas de grève. Tout le monde s'aime, chante, danse; mes parents, mes amis sont dans la joie. C'est la fête perpétuelle! Je suis très heureuse pour vous tous. Continuez à bien vous amuser en pensant à nous quelquefois. Embrassez de ma part tous ceux que j'ai connus et aimés et, pourquoi pas, par la même occasion, ceux que j'ai moins aimés. Ce sera mon baiser de paix (le meilleur peut-être?).

Pour l'instant, je ne suis pas pressée d'aller vous retrouver. J'aime trop la vie et ceux qui m'entourent. J'ai même l'impudence de me croire encore utile sur la terre. Entre nous, la mort, c'est bien beau, mais de loin. J'y pense cependant, je sais que je ne suis pas immortelle. À mon âge, les années sont comptées. Vous le savez, je me prépare chaque jour à cette mort inévitable, tout en en ignorant l'heure, le jour, l'année, le comment. Après tout, c'est vous que ça regarde. *You're the boss.* J'ai autre chose à faire et à penser. Vous m'avez donné la vie, le bien le plus précieux, dit-on. Eh bien, j'en profite et je vis! J'espère que ma franchise ne vous blesse pas trop.

Peut-être aimeriez-vous avoir des nouvelles de la terre? Ici-bas, ça ne va pas toujours sur des roulettes. Les gens ne savent plus s'aimer. Pourtant, on ne parle que d'amour dans les revues, à la radio et à la télévision. Tout le monde cherche le bonheur, c'est normal. Mais où se cache-t-il donc, ce coquin? On a peut-être oublié certaines valeurs spirituelles, ce qu'on appelait autrefois les vertus; il y a eu tant de chambardements qu'on ne s'en souvient plus. Il faudrait peut-être se mettre à jour et changer la devise du Québec, *Je me souviens*, pour une autre plus réaliste... Mais je laisse cela à nos élus.

Je ne veux pas être trop sévère pour le siècle qui s'achève puisqu'il est mien à part entière, mais il me semble que l'égoïsme y règne en maître: chacun pour soi, que l'autre se débrouille! Mammon est le dieu que tous adorent: aucune action ne s'accomplit sans qu'il y appose son sceau, un étincelant $. Le corps, devenu objet de vénération, doit être beau, parfait, sinon gare à vous, vous n'êtes plus rien. On dirait qu'il a laissé partir son âme.

Je ne sais pas ce que vous pensez de tout cela. Heureusement que vous êtes compréhensif et patient. Ce n'est pas pour rien qu'on vous appelle le Bon Dieu. Vous qui connaissez tout, vous ne jugez pas sur les apparences, comme nous le faisons.

Cher Bon Dieu, je ne veux pas ajouter à votre peine, mais je dois vous dire qu'on vous a presque oublié sur la terre. On ose à peine prononcer votre nom. C'est un peu de votre faute, avouez-le. Vous faites tout pour qu'on vous ignore. Vous ne vous montrez jamais. Vous le dites vous-même: «Dieu, personne ne l'a jamais vu.» Alors, comment voulez-vous qu'on vous connaisse? Quelques petites apparitions à la télévision vous aideraient peut-être. Il y a parfois de bonnes émissions, *Second Regard*, par exemple, une émission religieuse. Ou si vous préférez des entrevues, avec Denise Bombardier, Stéphane Bureau, ou encore Claire Lamarche. On ne sait jamais, ça pourrait marcher. Devenir vedette du jour au lendemain, votre nom sur toutes les lèvres, Bon Dieu, ce serait merveilleux! On vous aimerait, on vous adulerait, on vous adorerait même. Qu'en pensez-vous? J'attends votre réponse. Je ne ferai aucune démarche sans votre consentement. Je respecte trop votre volonté.

Excusez-moi, Bon Dieu, je n'ai jusqu'ici exprimé que des propos pessimistes. Pourtant, ce n'est pas dans ma nature, moi qui vois la vie en rose le plus souvent.

Il y a de bien belles choses qui se font sur terre, mais on n'en parle pas tellement. Des gens qui aiment leurs frères démunis et se dévouent sans compter pour leur venir en aide. Si vous saviez le nombre d'organismes charitables qui poussent comme des champignons, vous seriez aux anges, si j'ose dire. Il y a aussi ceux et celles qui prient dans le silence de leur cloître ou de leur chambre. Sans compter tous ceux qui vous aiment sans vous le dire... Moi aussi je vous aime, vous le savez, mais pas assez. Quand même, tout cet amour doit vous consoler de l'indifférence de certains de vos enfants. Connaissant votre grand cœur, je sais qu'il y a place pour toute votre famille, sans exception. Votre indulgence est proverbiale.

Cher Bon Dieu, il se fait tard. C'est à regret que je dois vous quitter. S'il vous plaît, pensez à moi, je penserai à vous. J'attends de vos nouvelles le plus tôt possible. Ne me décevez pas.

Votre épistolière, Marguerite.

Deuxième épître

Montréal, le 7 août 1999

Cher Bon Dieu,
Toute la semaine, j'ai attendu une lettre de vous, mais en vain. Je guettais le facteur, je l'interrogeais : avez-vous une lettre pour moi, portant la mention *Special Delivery from the Sky*? (Car je présume que vous y avez pensé.) Ma déception devait paraître sur mon visage parce que le facteur me répondait avec douceur et compassion : « Non, petite madame, pas aujourd'hui, ce sera pour demain... ou après-demain. »

C'est vrai que, pour vous, le temps ne compte pas. Vous avez déjà dit, si ma mémoire est bonne : « Pour moi, un jour est comme mille ans et mille ans, comme un jour. » Nous n'avons vraiment pas la même notion du temps. Vous, Bon Dieu, vous avez l'éternité devant vous, mais moi, je ne peux pas attendre indéfiniment. S'il vous plaît, soyez bienveillant et écrivez-moi. Je suis curieuse de savoir comment vous pouvez vivre sans montre, sans réveille-matin, sans cloche, et être présent partout en même temps.

Vous allez sans doute me répondre comme toujours: c'est un mystère. Mais Bon Dieu, le mot même est un mystère en lui-même. Le petit catéchisme d'autrefois donnait comme réponse: «Le mystère est une chose cachée qu'on ne peut comprendre mais qu'on doit croire, parce que c'est Dieu qui l'a révélée et qu'il est la vérité même.» Vous avez sûrement inventé le mystère pour éprouver notre patience et notre foi. Bon Dieu, malgré mon peu de patience et mon peu de foi, j'accepte ce mystère et par-dessus tout, c'est vous que j'accepte.

Je cherche toujours les raisons qui ont pu motiver votre silence. Mes propos vous auraient-ils choqué? Pourtant, il n'y avait aucune mauvaise intention de ma part. Je pose peut-être trop de questions? On me l'a souvent reproché, surtout le Padre Armando quand j'étais missionnaire laïque au Guatemala. Ah! il m'en a fait voir de toutes les couleurs, ce Padre. C'était pour « mon bien spirituel », disait-il! Après vingt ans, j'admets qu'il avait raison: j'avais besoin de descendre du piédestal où je m'étais hissée.

Quelle étourdie je suis! J'ai enfin trouvé la raison de votre silence. Je ne vous ai pas donné mon nom de famille ni mon adresse, seulement mon prénom, Marguerite! Des Marguerite, il y en a eu, il y en a, et il y en aura encore. Des reines, des saintes, des femmes sans titre, des fleurs même... Il y a eu Marguerite Bourgeois, Marguerite Duras, Marguerite d'Youville, Marguerite-Marie Alacoque, ma sainte patronne au drôle de nom (auquel j'ajoutais irrévérencieusement, quand j'étais écolière, trois minutes et demie), sans oublier Marguerite de Valois, la célèbre Reine Margot.

Cher Bon Dieu, si vous voulez des détails sur ma petite personne, vous n'avez qu'à consulter vos registres à la date du 8 novembre 1915, jour de ma naissance, et du 10 novembre de la même année, jour de mon baptême. Vous m'y trouverez inscrite sous le nom de Geoffrion, Marguerite.

Le 13 juin 1942, jour de mon mariage, je suis devenue Marguerite Lescop. Dans mon temps, on prenait le nom de son mari. Vous n'êtes peut-être pas au courant, mais depuis la réforme du *Code civil du Québec*, je suis redevenue officiellement Marguerite Geoffrion, tout en gardant, pour mon entourage, le nom de Marguerite Lescop. C'est probablement à cause de ce changement d'identité que vous avez perdu ma trace. Moi-même, il m'arrive de ne plus savoir qui je suis. Peut-être devrait-on laisser le choix aux femmes de porter le nom qu'elles souhaitent? Je devrais m'adresser à la Commission des droits de la personne à ce sujet. Je vous tiendrai au courant des développements.

Pour en revenir au jour de mon baptême, jour mémorable dont je ne me souviens plus, il paraît que c'était toute une fête! Je devenais, officiellement ici encore, enfant de Dieu car, évidemment, tous les enfants du monde sont les enfants de Dieu. Avec le baptême, venait une kyrielle de cadeaux précieux — dont je ne soupçonnais pas la valeur inestimable — qu'on appelle vertus théologales: la foi, l'espérance et la charité. Allez donc expliquer ça à un bébé, ou même à des grandes personnes! Heureusement, je n'y comprenais rien, car j'aurais sûrement fait une crise pour avoir des toutous ou des hochets à la place. Comprenez-moi: j'avais deux jours! Maintenant que j'ai (un peu) vieilli, je les apprécie davantage. Je ne changerais pas mes cadeaux baptismaux pour tout l'or du monde. Sans m'en douter, j'ai gagné ce jour-là le gros lot à la loterie du Bon Dieu.

Ce qu'il y a de merveilleux avec vous, Bon Dieu, c'est qu'il n'y a pas seulement un gagnant, mais des milliers. Tous ceux qui le veulent peuvent gagner. Vous donnez même le secret de la combinaison gagnante. Le voici en résumé: «Je me tiens à la porte et je frappe. Ouvrez votre cœur et j'entrerai.» N'importe qui peut comprendre, il me semble, même les enfants. Surtout eux, parce qu'ils ne s'embarrassent pas de raisonnements compliqués. Vous les aimez tant les enfants : «Laissez-les venir à moi», avez-vous dit.

Cher Bon Dieu, comme je ne connais pas votre réaction à ma première lettre — vous a-t-elle plu, oui ou non? —, avant de vous quitter, je veux vous dire merci pour tout ce que vous avez fait pour moi jusqu'ici. Je ne vous remercie pas assez souvent, j'oublie. Mais peut-être l'avez-vous déjà oublié vous-même? C'est consolant de savoir que vous aussi avez des trous de mémoire. Surtout, ne vous faites pas soigner, c'est ainsi qu'on vous aime. Je termine ici mon bavardage en espérant désespérément de vos nouvelles.

Malgré votre silence, je vous aime.

Votre épistolière, Marguerite Geoffrion (Lescop).

Troisième épître

Montréal, le 10 août 1999

Cher Bon Dieu,
Déjà dix jours écoulés, deux lettres écrites, et aucune réponse de votre part. Que se passe-t-il? Je crains que mon moral ne flanche. Je tenais tant à votre amitié. J'espérais secrètement que cette profonde amitié puisse un jour se transformer en amour, comme il arrive fréquemment. Je vais peut-être trop vite en affaires? Ce n'est sans doute pas votre façon de procéder (sauf exception, j'y reviendrai plus tard). Que voulez-vous, j'adore les coups de foudre!

Pourtant, en quelques occasions, j'ai remarqué que vous sembliez intéressé à ma petite personne. Je percevais des appels discrets et répétés, venant de je ne sais où. J'ai cru reconnaître votre voix. Était-ce une illusion? Je ne le crois pas. Le rêve, l'imagination, la science-fiction ne sont pas mon fort. J'espère garder les deux pieds sur terre. Votre langage est si surprenant que je n'arrive pas toujours à le décoder. Vous comprendre, est-ce bien nécessaire? Ce que vous désirez avant tout, c'est être aimé. Vous me l'avez soufflé à l'oreille tout bas, bien bas.

La correspondance par la poste n'est probablement pas votre façon de communiquer. Pourvu que vous ne me répondiez pas par Internet! Si oui, c'est la fin de nos relations. Hélas, «je suis née trop tôt dans un siècle trop jeune». À ces techniques révolutionnaires, je préfère de beaucoup mon bon vieux stylo.

Mais Bon Dieu, qui êtes-vous? Je veux savoir, malgré tout; ma curiosité est piquée au vif. Le petit catéchisme du Québec avait la réponse: «Dieu est un pur esprit.» Mais moi, je ne sais pas ce qu'est un pur esprit. Je ne suis pas plus avancée. Je suppose que vous êtes d'une autre nature que celle des hommes. Vous êtes de nature divine, dit-on. Dieu: une nature divine, un pur esprit. Un langage bien obscur pour les pauvres humains que nous sommes.

C'est dire que vous n'avez pas de corps pour profiter des belles choses de la vie, pas de main pour écrire, pas de voix pour parler, pas d'oreilles pour entendre. Pauvre Bon Dieu, c'est le dépouillement total! Vous êtes vraiment mal pris, je vous plains. Pire que tous les handicapés. Ah! c'est pour cela que vous les aimez tant et les comprenez si bien! Une rumeur court en sourdine que vous avez gardé votre cœur. J'y crois de tout mon cœur.

Cher Bon Dieu, si jamais vous avez besoin de moi, je vous offre mes services *gratuitement*. Je me ferai un plaisir de vous aider. Sans me vanter, j'aime rendre service. C'est dans ma nature. Au moindre appel, je cours, je vole. Dans le fond, il s'y mêle un peu d'orgueil. Je me sens indispensable. On pense à moi, cela flatte mon ego, qui est encore bien vigoureux, malgré tous mes efforts à vouloir l'amoindrir. Vous seul en êtes témoin.

Cher Bon Dieu, je vous prie d'excuser la fin abrupte de cette troisième épître, mais admettez avec moi qu'essayer de vous comprendre et de creuser le mystère de la nature divine, c'est assez pour donner un mal de tête carabiné... comme celui que j'éprouve maintenant !

Votre épistolière qui espère toujours une réponse, malgré sa désespérance.

Marguerite.

Quatrième épître

Montréal, le 15 août 1999

Cher Bon Dieu,
Me revoilà pour la quatrième fois, mais cette fois-ci, j'ai une bonne nouvelle à vous annoncer : je ne suis plus la même.

Il y a de ces matins magiques où l'on se réveille tout joyeux de vivre, sans trop savoir pourquoi.

Ce matin est de ceux-là. Un changement irréversible s'est opéré dans mon caractère impétueux. Si impatiente hier encore, je suis aujourd'hui toute pacifiée. Résignée même à attendre votre bon vouloir. La preuve : au lieu d'agresser ce pauvre facteur, que je rendais responsable de votre silence, tantôt, sans mot dire, je l'ai gratifié de mon plus beau sourire. Devinant mon désappointement bien contrôlé, il m'a lancé, en passant très vite devant ma boîte à lettres : «À demain, petite madame.» Quelle délicatesse, ce facteur!

À quoi attribuer ce changement? J'ai compris que vous aviez peut-être d'autres moyens à votre disposition, en dehors du courrier, des visions, des apparitions, pour joindre vos créatures sur la terre.

Des personnes bien renseignées ont affirmé que vous parliez sans mots, dans le silence. Cela me semble assez contradictoire, mais avec vous, Bon Dieu, il faut s'attendre à tout! Une certaine Thérèse, née à Avila, en Espagne, a eu quelques révélations à ce sujet. Il s'agit de se mettre à votre écoute (c'est-à-dire d'ouvrir le récepteur), de se vider de toute préoccupation et d'attendre une réponse de vous. Parfois il y en a une, la plupart du temps, il n'y en a pas. Cela n'a pas d'importance, paraît-il. L'essentiel est d'être au rendez-vous. Thérèse et son ami Jean appellent cela *faire oraison*.

J'ai essayé. Je vous ai accordé quelques minutes de mon précieux temps. Pour un premier essai, j'ai été chanceuse. J'ai compris que vous étiez un père infiniment bon. Cela dit tout et me suffit.

Malgré vos occupations multiples, vous

répondez aux nombreuses demandes et supplications qui vous viennent des quatre coins de la terre. Toutes les lettres de vos fidèles admirateurs reçoivent une attention particulière. En un mot, vous n'oubliez personne!

C'est vous, Bon Dieu, le grand pdg du Ciel et de l'Univers. Gérer une si grande entreprise ne doit pas être une sinécure. Heureusement, vous n'êtes pas seul. Vous avez deux associés de taille. Vous êtes connu ici-bas sous la raison sociale: Trinité. Un Dieu en trois personnes: Père, Fils, Esprit.

Ainsi vous partagez le travail à parts égales. Chacun a sa tâche bien définie, toujours orientée vers un même but: la paix, l'amour, le bonheur. Quel beau programme! Bon Dieu, demandez à l'un de vos secrétaires de nous en faxer un autre exemplaire de toute urgence, nous avons perdu l'original.

Tout cela paraît bien compliqué à comprendre, mais dans le fond, c'est simple comme bonjour. Ce n'est pas pour rien que vous nous avez donné la foi. Il faut s'en servir. Pour moi, la foi, c'est la clé des mystères et, pourquoi pas, du bonheur. Elle me réussit.

Encore une fois, je dois vous quitter, il se fait tard, deux heures du matin. Ah! j'oubliais que nous n'avons pas la même heure et que vous ne dormez jamais. Vous devez vous sentir fatigué, parfois?

À demain.

Votre épistolière — qui prend goût à cet échange — Marguerite.

Cinquième épître

Montréal, le 26 août 1999

Très cher Bon Dieu,
Avez-vous remarqué le *très* qui précède le *cher*? Ce n'est pas une distraction. C'est voulu. Plus mon désir de vous connaître grandit, plus vous me devenez cher. Je suis à la veille de vous tutoyer. Ne bousculons rien. Chaque chose vient en son temps. J'avoue qu'à la tournure que prennent nos relations, il me serait très difficile de vous quitter.

Si je repasse les grandes étapes de ma vie, je me trouve chanceuse, même privilégiée. Bien sûr, il y eut des moments sombres, difficiles à passer, mais vous étiez là, à mon insu. Vous me suiviez à la trace, vous ne vouliez pas me perdre, pour tout l'or du monde. Je ne savais pas, à ce moment-là, jusqu'à quel point vous m'aimiez! Que de ruses vous avez inventées pour me séduire! Est-ce possible, porter tant d'intérêt à ma petite personne?

En retour de toutes ces attentions, j'avoue que je n'ai pas abusé de remerciements à votre égard. C'est pourquoi, aujourd'hui, je fais amende honorable pour mes nombreux oublis. Je sais que je suis pardonnée parce que, avec vous, il n'y a pas de problème, il n'y a que de l'amour. Faute avouée, faute pardonnée. Vous êtes tellement bon, bonasse même à l'occasion. Si l'on pouvait donc y croire!

L'ingratitude, l'indifférence, l'égoïsme, la curiosité sont parmi les nombreux défauts que nous avons hérités de nos grands-parents. Ah! ceux-là! (je parle d'Adam et Ève), il m'arrive de leur en vouloir, mais après réflexion, je me dis qu'à leur place, je n'aurais pas fait mieux. Peut-être pire?

Bon Dieu, ne vous offusquez pas si je vous dis que c'est un peu de votre faute ce qui est arrivé. Vous les avez trop gâtés. Vous vous êtes mis en quatre pour leur faire plaisir. Rien n'était trop beau. Le Ciel, la Terre, les astres, les fleurs, les oiseaux, les océans, vous ne saviez plus quoi inventer. Tout était à leur disposition. Vous leur avez donné même la liberté!

Une seule petite consigne de votre part: ne pas toucher à l'arbre de *la connaissance du bien et du mal*... Je ne comprends pas trop, mais je l'appelle l'arbre de la tentation. Évidemment, connaissant l'homme et la femme, il fallait s'y attendre. Ils ont fait le contraire de ce que vous vouliez.

Depuis ces temps immémoriaux, nous portons tous, sans exception, les séquelles de cette malencontreuse faiblesse. Personne n'y échappe, c'est même inscrit dans notre ADN. Nous sommes tous des pécheurs, même les plus grands saints. Voilà qui est consolant pour le commun des mortels dont nous faisons partie.

Pauvre Bon Dieu, vous avez dû être bien déprimé après cet échec lamentable avec nos premiers parents. Vous comptiez tellement sur eux. Mais vous n'êtes pas la personne à vous laisser abattre par les épreuves. D'ailleurs, vous en avez vu d'autres, avec les anges par exemple. On nous a rapporté ici-bas que la bataille avait été féroce. Mais vous sortez toujours vainqueur. C'est une des raisons pour lesquelles je me mets toujours de votre côté.

Dans votre sagesse, vous avez conçu un plan de réparation en plusieurs étapes, échelonné sur plusieurs années.

Quelle coïncidence! Nous, les vivants de l'an 1999, nous nous apprêtons à célébrer l'arrivée de l'an 2000. Il y a beaucoup d'excitation sur la terre à cette occasion. On ne sait trop pourquoi, mais il faut fêter. Six mois avant que le glas ne sonne sur le vingtième siècle, toutes les réservations sont faites dans les hôtels. Il n'y a plus de chambre, comme au moment de la naissance de votre fils. On ne parle que du bogue de l'an 2000. Tout le monde s'affole, s'énerve, excepté moi. Et pour cause, je n'ai pas d'ordinateur (en avoir un, je le débrancherais la veille du Jour de l'an).

Mais l'événement principal, le grand événement, on l'oublie. C'est l'aboutissement de votre plan merveilleux. Il y a 2000 ans, naissait votre fils. Le fils de Dieu même, fait homme. Il y a de quoi fêter! Qu'en pensez-vous?

Sur cette bonne nouvelle, Bon Dieu, je vous dis bonsoir.

Votre amie, Marguerite.

Sixième épître

Montréal, le 4 septembre 1999

Très cher Bon Dieu,
Dans ma dernière lettre, datée du 26 août, je me réjouissais avec vous de la naissance de votre fils bien-aimé et de sa commémoration prochaine. Vos prophètes annonçaient cet événement depuis plus de 4000 ans; vous avez dû être drôlement dérangé dans votre horaire pour avoir tant tardé à nous donner ce gage de votre amour. Je peux vous comprendre, il survient parfois des imprévus incontrôlables qui nous forcent à remettre à plus tard nos plus belles réalisations. L'essentiel est qu'il soit venu. Merci, mille mercis.

À première vue, tout paraît simple. Des bébés, il en naît des milliers par jour. Mais un Dieu qui se fait homme, c'est plutôt rare. Vous avez dû peser longtemps le pour et le contre avant d'envoyer votre bien-aimé parmi les hommes. Vous les connaissez si bien! Je vous imagine, tous les trois, en grande consultation, avant d'en arriver à un consensus: vous, le Père, Créateur du Ciel et de la Terre, votre fils, Jésus, et votre conseiller inséparable, le Saint-Esprit. Il vous fallait surtout l'assentiment du principal intéressé, cela va de soi. Quel soulagement quand vous avez entendu son oui résonner à vos oreilles divines. Et quel oui, puisqu'il promettait de toujours faire votre volonté! Dieu sait... vous savez qu'il a tenu parole! et même en exagérant parfois.

Je vous félicite pour cette idée géniale: donner à votre fils la nature humaine, comme nous, sauf qu'il n'a jamais péché. C'était la meilleure façon de nous comprendre.

Vous aviez bien d'autres moyens à votre disposition pour nous sauver, mais avec votre science infuse, vous saviez que personne ne pourrait faire un aussi bon travail. «Papa a toujours raison.» Quel homme que ce Jésus, en même temps vrai Dieu! Dire qu'il y en a qui doutent! Ils ne doivent pas bien le connaître!

Pardonnez-moi si j'ose ajouter quelques

petites réflexions négatives, mais c'est plus fort que moi. Votre pauvre fils, vous l'avez lancé dans une aventure plutôt périlleuse. La fin, hélas, s'est avérée tragique. C'était à prévoir : relever l'humanité, une si grosse entreprise au bord de la faillite, comporte des risques inévitables. Vous le saviez. Malgré tout, vous n'avez pas hésité à poursuivre votre plan d'amour. Vous l'aimiez donc tant, cette pauvre humanité, et vous l'aimez toujours !

C'est, de toutes vos créations, celle que vous préférez. Et pour cause : vous l'avez créée à votre image et à votre ressemblance. C'est parfois difficile à croire, mais avec la foi, on y arrive. Que d'amour, que de mystère dans cette extraordinaire histoire vécue !

La première phase de votre plan étant bien enclenchée, la naissance de votre fils, il fallait maintenant s'attaquer à la deuxième, presque aussi difficile : moderniser votre image, vous refaire une beauté. Subir, si possible, un genre de *face lift*. C'est un nouveau traitement très à la mode qui, paraît-il, redonne une jeunesse et fait des miracles, comme on dit. Vous devriez l'essayer, parce que, en fait de miracles, vous vous y connaissez, n'est-ce pas!

Fini les représentations d'un personnage vieux, à la barbe pas faite (excusez ma franchise), assis sur un trône en or solide, l'air impassible, cherchant d'un œil justicier les Caïns de la terre, pour les précipiter dans le feu de l'enfer. C'était, disait-on, votre principale occupation. Pauvre Bon Dieu, si méconnu, il fallait à tout prix refaire votre réputation. Quelques passages de l'Ancien Testament, mal interprétés, vous décrivaient comme un juge implacable; plus près de nous, le jansénisme a, en son temps, quelque peu faussé votre image. Nous avions tous peur de vous. Malheureusement, la peur n'engendre pas l'amour, alors que vous êtes l'amour même. Votre seul désir est d'aimer et d'être aimé. C'est votre fils, Jésus, qui nous a fait ces bouleversantes révélations.

Merci pour ces bonnes nouvelles d'en haut. J'en suis toute réjouie. N'hésitez pas à nous en envoyer souvent, car ici-bas, elles sont plutôt rares. Cela finit par miner

le moral. Avant qu'il ne soit complètement à terre, cher Bon Dieu, je vous dis
un beau bonsoir.

Marguerite.

Septième épître

Montréal, le 15 septembre 1999

Très cher Bon Dieu,
En commençant cette septième lettre, je ne puis résister à l'envie de vous faire un aveu. Je suis sûre qu'il vous fera plaisir. Depuis que j'ai eu l'idée de vous écrire personnellement, je me sens de plus en plus joyeuse. Pourtant, rien n'est changé dans ma vie. Les joies et les peines continuent de danser ensemble, sans jamais se quitter.

D'où me vient donc cette joie subite? Serait-ce le fait de vous fréquenter tous les jours? Je constate que votre influence a un effet positif aussi bien sur mon caractère que sur mon comportement.

Vous connaissez le proverbe, *Dis-moi qui tu hantes, je te dirai qui tu es.* Je ne me prends pas encore pour un dieu ou une déesse, mais... je suis si faible. S'il vous plaît, ayez-moi à l'œil, ne me lâchez pas. Ma confiance est en vous.

Cher Bon Dieu, j'aimerais, si vous le voulez bien, continuer les échanges que nous avons eus sur votre plan de sauvetage de l'humanité. Votre premier objectif était d'envoyer votre fils sur la terre. Il fallait nécessairement lui donner la nature humaine, lui qui est de nature divine. Si je comprends bien, il possède deux natures... Je n'y vois aucun problème. C'est clair comme bonjour. Dire qu'il y a des personnes qui n'arrêtent pas de s'interroger à ce sujet! Il faut aimer à se triturer la cervelle, mais passons.

Comme vous êtes logique dans tout ce que vous faites, vous savez depuis toujours qu'un enfant a besoin d'une mère. Vous avez donc regardé du haut de votre Ciel toutes les femmes de la terre, nées ou à naître, afin de choisir la plus parfaite. Vos exigences n'étaient pas faciles à remplir. La barre était haute, comme on dit dans le langage sportif. Cela se comprend: être la mère de Dieu lui-même n'est pas une mince affaire!

Permettez que je vous pose une question indiscrète: auriez-vous, par hasard, pensé à moi? Si oui, j'ai dû subir l'élimination au premier tour de scrutin, parce que je n'ai reçu aucune nouvelle de vous. Je présume que vous n'avez pas perdu beaucoup de temps à étudier mon dossier. (Veuillez, s'il vous plaît, excuser ma fatuité, mais l'orgueil habite tous vos enfants, vous le savez depuis très longtemps.)

Vous cherchiez une mère irréprochable. Votre regard s'est arrêté sur une jeune fille juive, nommée Marie, habitant Nazareth, un petit village de rien du tout perdu en Palestine. Elle était pure, humble, toute douce, mais combien forte de caractère.

Vous lui avez demandé la permission. Quelle délicatesse de votre part! Vous ne lui avez pas imposé votre choix. Encore cette liberté que vous avez donnée aux hommes et que vous respectez toujours.

Sa réponse a été: «Je suis la servante du Seigneur, qu'il me soit fait selon votre parole.» Son oui a été irrévocable, comme celui de votre fils. Pour une fois, on peut dire: tel fils, telle mère. Marie acceptait d'aller au bout de la mission que vous vouliez lui confier, celle-ci n'étant pourtant pas exempte de souffrances.

Nous avons tous une petite mission sur terre, que nous remplissons plus ou moins bien. Le oui de Marie, comme le oui de tous ceux qui répondent à votre appel doivent vous apporter quelques consolations. Il y a encore du bien bon monde ici-bas.

Permettez-moi de vous dire, avec beaucoup de respect, que ce Jésus, votre propre fils, en a fait voir de toutes les couleurs à sa pauvre mère. Comme l'a si bien dit Thérèse d'Avila : « Seigneur, ne vous plaignez pas d'avoir si peu d'amis, à la façon dont vous les traitez. » (J'ajoute tout bas : on vous aime bien quand même.)

Lorsque Marie présenta son fils au Temple, huit jours après sa naissance, le vieillard Siméon lui fit cette prophétie : « Ton cœur sera transpercé d'un glaive de douleur. » Pour une jeune mère qui tient dans ses bras son premier-né, cela n'est guère réconfortant. Comme cadeau de naissance, on a déjà vu mieux.

Auriez-vous fait le cœur des mères

uniquement pour souffrir? Là, j'exagère, comme toujours. Pardonnez-moi, Bon Dieu. Il existe des compensations, et celles-ci sont incalculables.

Le cœur d'une mère est avant tout fait pour aimer. Et c'est vous qui l'avez voulu ainsi. Merci, mille fois merci.

Bonsoir, cher Bon Dieu.

Pensez à moi, je penserai à vous.

Votre amie, Marguerite.

Huitième épître

Montréal, le 3 octobre 1999

Très cher Bon Dieu,
Enfin, après des siècles et des siècles
d'attente, vous l'avez enfin laissé partir, ce
fils bien-aimé, ce sauveur promis. Avouez
qu'il était temps. Le monde commençait
à s'impatienter...

Aujourd'hui, le but de ma lettre, c'est
de vous remercier de nous avoir envoyé
Jésus. Nous, les humains, tenons tout pour
acquis. La reconnaissance n'est pas denrée
courante. L'ingratitude faisant partie de
nos gènes égoïstes, on néglige trop souvent de dire merci.

Je veux donc faire amende honorable et
vous rendre grâce tout ensemble pour hier,
aujourd'hui et demain. Ainsi, s'il m'arrive
d'oublier vos nombreux bienfaits, j'ose espérer que vous vous souviendrez de mes
mercis antérieurs.

Qu'on le veuille ou non, l'an 2000

représente un moment important pour une grande partie de l'humanité, celle tout au moins qui a choisi comme point de départ de son calendrier la naissance de votre fils, et pour laquelle il y a un avant lui et un après lui.

Permettez cependant une petite critique : la surprise a été grande quand on a su dans quelles conditions votre fils était arrivé parmi nous. Personne ne s'attendait à le voir naître dans une étable. Un palais n'aurait-il pas mieux convenu à son statut de fils de Dieu ? Pour le Roi des rois, le Sauveur du monde, pas de vêtements somptueux, ni couronne ni sceptre. Rien, le dénuement total.

Vous, Bon Dieu, le Créateur du Ciel et de la Terre, qui possédez tout, à quoi avez-vous pensé ? On se serait attendu à autre chose de votre part. Vous, si généreux par nature, c'est à n'y rien comprendre. C'est bien vrai que « vos pensées ne sont pas nos pensées ». Inutile d'essayer de comprendre ! Avec ma petite intelligence, il vaut mieux accepter et me soumettre.

Je pense bien que le petit Jésus n'a pas

souffert; il ne se rendait compte de rien, il sentait seulement la chaleur et la tendresse de sa maman qui le serrait très fort sur son cœur, et la présence amoureuse et protectrice de Joseph. Il est vrai qu'avec l'amour, on possède tous les trésors de la terre. Ah, j'oubliais la présence du bœuf et de l'âne dans l'étable. Heureusement que vous y aviez pensé. Ils servaient de chauffage central pour garder bien au chaud le petit Jésus.

Je vous félicite, Bon Dieu, c'était une bonne idée d'inviter les bergers des montagnes avoisinantes à rendre visite à la petite famille. Elle devait se sentir bien seule, perdue à Bethléem au milieu de tout ce brouhaha du recensement décrété par Rome. Cette visite impromptue a dû réconforter Marie et Joseph, d'autant plus que les bergers leur ont donné un concert de flûte qui s'entendait jusqu'au Ciel. Ce concert improvisé a défrayé la chronique du temps. On a rapporté que c'était divin. Et que dire de la belle leçon que nous donnent ces Rois mages, Gaspard, Melchior, et Balthazar, mystérieusement instruits de la venue du Messie par une étoile nouvelle ; ils entreprennent un long voyage afin de pouvoir lui offrir de précieux cadeaux et se prosterner devant lui, devenant ainsi les premiers adorateurs de Jésus.

Ce qui me frappe dans ce récit, c'est la disparité des visiteurs : de pauvres bergers et de riches rois. Je vous reconnais bien là, Bon Dieu. Vous aimez tout le monde, sans distinction de rang, de couleur, riche ou pauvre, avec un petit faible pour les pauvres, avouez-le ! Non, ce que vous regardez, c'est le fond du cœur. Vous savez qu'il y a des riches au cœur d'or et des pauvres au cœur envieux. Et vice versa. Vous seul, Bon Dieu, scrutez les reins et les cœurs de vos enfants. C'est pourquoi vous nous avez dit de ne pas juger sur les apparences. Depuis quelques années, je m'acharne à me débarrasser de la critique. Je n'y arrive pas vite.

C'est sans doute pour cela que vous me laissez si longtemps sur la terre. En attendant, apprenez-moi à vous aimer en aimant les autres.

Cher Bon Dieu, je vous dis bonsoir et vous assure de mes sentiments amoureux.

Marguerite

Neuvième épître

Montréal, le 18 octobre 1999

Très cher Bon Dieu,
Me revoilà après plus de quinze jours de silence. J'ose croire que vous avez trouvé le temps long et que vous avez guetté le facteur à votre tour. Pourvu que vous ne vous soyez pas trop inquiété de moi. Je m'en voudrais de vous causer quelque angoisse. Les enfants sont si insouciants de l'inquiétude qu'ils causent à leurs parents, et vous êtes mon Père du Ciel. Pardonnez-moi de n'être pas l'enfant modèle dont rêvent tous les parents.

Vous qui suivez mes allées et venues, vous savez que j'ai quitté mon salon de la rue Chabot pour le Salon du livre de Jonquière, au Saguenay. Mon nouveau statut d'écrivaine me le demande. En passant, je vous félicite d'avoir créé une si belle région!

J'ai honte de l'avouer, mais je n'ai presque pas prié pendant tout ce temps, moi qui aime tant les grandes déclarations d'amour. Je n'ai eu que des pensées fugitives, jetées çà et là dans l'atmosphère comme des bulles de savon qui éclatent au soleil. Vous les avez sûrement aperçues, puisque vous faites partie intégrante de moi-même et que je vous porte dans mon cœur, même si je vous oublie souvent. En un mot, vous m'habitez.

Cher Bon Dieu, un léger reproche en passant : vous êtes le seul responsable (je n'en vois pas d'autres) de mon manque de piété et du peu de temps que je vous consacre.

On cherche toujours un coupable à ses manquements dans l'espoir de se disculper ; je ne fais pas exception à la règle. Vous m'avez lancée, pour ne pas dire catapultée, sans préavis ni préparation, dans ce monde de l'écriture, assez exigeant, Dieu merci ! C'est un mangeur de temps, que j'apprécie bien dans le fond.

Malgré mes plaintes, jamais je n'aurais pensé à une seconde carrière après celle de mère de famille, que j'ai aimée par-dessus tout. Elle n'est pas encore terminée (mère un jour, mère toujours) malgré quelques moments d'accalmie fort appréciés. À 80 ans, j'espérais une retraite paisible et probablement... ennuyeuse, qui ne convient pas à mon tempérament hyperactif. Voilà que vous en avez décidé autrement. Ah! la volonté de Dieu, quelle subtilité! Il faut savoir la décoder et, autant que possible, la suivre.

Je ne sais si je m'abuse, mais j'ai une vague intuition que vous désirez ces entretiens intimes entre nous, tout simplement, sans affectation, comme un père avec son enfant. Je les désirais moi-même secrètement depuis quelque temps. Je voulais vous connaître davantage et, par le fait même, vous aimer davantage. Vous gagnez beaucoup à être connu, croyez-en ma petite expérience. Autrefois, vous me paraissiez lointain, indifférent, inaccessible. Est-ce possible d'avoir eu de vous une si fausse perception, alors que je vous découvre l'amour même? Vous vous abaissez parfois jusqu'à *quêter* l'amour de vos enfants. En voici un exemple parmi mille autres: «Je suis à la porte de votre cœur et je frappe. Si quelqu'un m'ouvre, j'entrerai et je souperai avec lui, et lui avec moi.» Quelle belle invitation à l'intimité!

Bon Dieu, vous avez frappé longtemps à ma porte sans que je vous ouvre. Je ne parle pas ici de pratiques religieuses ni de lois à observer. J'ai toujours été pratiquante. Tout cela, les pharisiens l'accomplissaient, et pourtant vous les avez traités de sépulcres blanchis. Votre seule loi, c'est l'amour: «Aime ton Dieu de toute ton âme, de toutes tes, forces, et ton prochain comme toi-même.» Le reste vient après.

Je vous ai à peine entrouvert la porte, et vous en avez profité pour entrer et vous installer. J'avais peur que vous en demandiez trop. On dit parfois que vous êtes un Dieu jaloux. Maintenant que je vous connais davantage, c'est moi qui vous supplie de ne jamais quitter ma maison. Votre seule présence m'apporte la paix, le bonheur, ce qui n'exclut pas les souffrances terrestres.

Si l'on pouvait donc comprendre ce message: «Quand les hommes vivront d'amour, il n'y aura plus de misère...»

À quand donc ce beau programme?

D'ici là, je vous dis bonsoir et faites de beaux rêves.

Votre grande amie, Marguerite.

Dixième épître

Montréal, le 1er novembre 1999

Très cher Bon Dieu,
Je remarque que c'est la dixième lettre que je vous écris en trois mois, notre correspondance ayant débuté le 1er août 1999. J'ai bien l'intention de continuer, si cela ne vous ennuie pas trop.

Vous ne pouvez imaginer le bien que ces entretiens intimes me procurent. Malgré les efforts que cela me demande, ce contact quasi hebdomadaire avec vous m'apporte calme et sérénité.

Je me sens reliée à vous par des liens invisibles mais réels. Je n'ai nullement l'impression de m'adresser à un fantôme ou de crier dans le désert. Je vous parle et vous me répondez, même si je n'entends pas votre voix. Je puis vous joindre en tout temps, en toute occasion. Votre cellulaire est toujours branché, jamais fermé. Vous répondez à tous mes appels, même si vous me laissez souvent en attente, et Dieu sait qu'il me faut parfois patienter longtemps! Mais jamais je ne désespère. Admettez que cela tient du miracle. Vous pouvez même quitter votre Ciel pour quelques excursions dans le cosmos, je sais que vous êtes toujours à l'écoute.

Quelle merveille que ce petit appareil cellulaire! Merci de vous en servir. Je vois que vous vous tenez à la fine pointe des dernières découvertes de la technologie. Rien ne vous surprend et pour cause. En seriez-vous le concepteur, par hasard? Vous, le créateur du Ciel et de la Terre, cela ne m'étonnerait pas le moins du monde. Mais vous êtes si humble et si délicat. Vous voulez laisser à l'homme l'illusion qu'il invente tout, et il le croit...

Je me permets encore une fois de vous souffler à l'oreille un bon conseil: envoyez donc par l'entremise de votre secrétaire général, le Saint-Esprit, un courriel à chacun de vos enfants, grands et petits, pour leur dire enfin qui vous êtes. Cela aiderait grandement à votre popularité. Je voudrais tant qu'on vous aime. L'indifférence à votre égard me fait mal.

Surtout, ne dites à personne que la suggestion vient de moi, elle aurait moins de poids.

Cher Bon Dieu, mes propos doivent vous sembler bien hétéroclites. Je saute sur un sujet, je l'abandonne, j'en saisis un autre au vol, je reviens au premier, ainsi de suite. Que voulez-vous, c'est dans mon tempérament. Je suis un vrai chien fou. Je me sens parfois des talents d'acrobate. Si mes muscles obéissaient mieux, je m'inscrirais au Cirque du Soleil, mais cela relève du passé ou de la science-fiction. Présentement, mon regard se porte vers l'avenir, que j'entrevois plein de promesses... grâce à vous, Bon Dieu.

Et ma vie continue. Je l'aime telle qu'elle est et vous remercie de me la conserver aussi longtemps. Pour ce qui est de la fin: «Votre heure sera mon heure.» Je suis rassurée en pensant que vous serez au rendez-vous final puisque c'est vous qui l'avez fixé de toute éternité. Je fais la brave, mais j'avoue que ce passage de la vie à la mort me fait un peu peur.

Assez de vaines spéculations, il est temps d'aller me mettre au lit, non sans vous avoir souhaité, à vous cher Bon Dieu et à votre cour céleste, une éternité bien-heureuse.

Votre épistolière, Marguerite.

Onzième épître

Montréal, le 28 novembre 1999

Très cher Bon Dieu,
Me voilà de nouveau heureuse en votre compagnie après un silence prolongé. Vous en connaissez la cause, puisque vous me suivez à la trace. Non pas pour me prendre en défaut, mais pour me protéger.

Mon agenda débordait d'engagements multiples : conférences, salons du livre, apparitions à la télévision, à la radio, le tout entrecoupé d'un peu de couture et de très peu de ménage. De quoi occuper une personne qui a quatre fois vingt ans et quelques poussières.

Je me demande si vous regardez la télévision là-haut pour avoir des nouvelles d'en bas. Si oui, vous avez sans doute remarqué qu'on nous rappelle constamment le nombre de jours qu'il reste avant la fin du deuxième millénaire. Sans parler du bogue, j'avoue que cela commence quelque peu à me taper sur les nerfs. C'est comme si on nous annonçait la fin du monde! Il faut s'y préparer, évidemment, c'est un grand événement (je parle de l'an 2000). La publicité, elle, a tout prévu: on n'a qu'à se soumettre au programme défini pour nous. Il ne faut surtout pas rester chez soi, on risque de ne pas passer le cap. Comme ce serait dommage de rester en plan!

Il faut faire la fête, je suis d'accord et vous aussi, Bon Dieu, vous qui aimez tant que vos enfants soient heureux. Mais tout de même, il faudrait peut-être faire une petite, toute petite place à votre fils Jésus pour son anniversaire. Il se contente de si peu. Il n'a pas besoin de cadeaux, puisqu'il possède tout. Une toute petite pensée, qu'on peut appeler prière, de ses frères et sœurs le comble. En cela il vous ressemble, Bon Dieu. «Tel Père tel Fils.» Quel modèle vous êtes tous les deux! Pas facile à suivre!

Personnellement, j'aimerais me réveiller, le premier jour de l'an 2000, et crier à tue-tête, pour que tout le monde m'entende:

Joyeux anniversaire Jésus! Bonne fête Jésus!
Il a toujours 33 ans et il est vivant plus
que jamais.

Il est venu sur la terre pour nous apprendre à aimer et à vivre en paix entre
nous. Mais sa grande révélation a été
— excusez mon audace — de vous démystifier. En trois petits mots, Jésus a répondu
à la question que tout le monde se posait à votre sujet: *Qui est Dieu? Dieu est
amour.* Il y a de quoi se réjouir!

Ah! l'amour, toujours l'amour, rien que
l'amour!

C'est le désir profond de tout être. Pas
besoin de sondages pour nous le dire.

Alors, cher Bon Dieu, source inépuisable de l'amour, donnez-nous donc un
peu de votre amour!

Votre mendiante d'amour vous dit bonsoir,

Marguerite.

Douzième épître

Mon très cher Bon Dieu,
Voilà que, sans m'en apercevoir, le plus naturellement du monde, j'ajoute le pronom possessif *mon* à *très cher Bon Dieu.*

Il y a vraiment une évolution marquée dans nos rapports. J'ai commencé à vous écrire en employant la formule classique, *Cher Bon Dieu,* puis, quelque temps plus tard, j'ajoute le *très*, et voilà que ce soir, j'ose le *mon*. Ce n'est pas que je veuille vous accaparer ou vous garder jalousement tout à moi, comme une égoïste. Au contraire, mon désir est de vous faire connaître et de vous partager. Parfois, j'en brûle, sans que cela paraisse. Peut-être le devinez-vous?

Vous êtes vraiment le Père, Abba, Papa, d'une famille innombrable qui donne son amour à tous ses enfants. Vous aimez quand ils pensent à vous et vous prient.

Cela vous fait chaud au cœur, j'en suis sûre. En ce moment même, je vous vois sourire de contentement. Vous êtes vraiment comme tous les pères et mères de la terre.

C'est Jésus lui-même qui nous a révélé cet amour paternel dont vous nous entourez. Et afin que nous ne l'oubliions jamais, il nous a laissé cette belle prière du *Notre Père*. Je ne puis résister à l'envie de vous la redire.

Notre Père qui es aux cieux,
Que ton nom soit sanctifié,
Que ton règne arrive,
Que ta volonté soit faite, sur la Terre comme au Ciel.
Donne-nous aujourd'hui notre pain quotidien,
Pardonne-nous nos offenses
Comme nous pardonnons à ceux qui nous ont offensés,
Ne nous laisse pas succomber à la tentation
Et délivre-nous du mal. Amen.

Dans quelques jours, nous fêterons Noël pour la 2000e fois. Je ne sais par quelle indiscrétion j'ai eu vent qu'il se préparait là-haut une fête sans pareille dont vous seul, Bon Dieu, avez le secret. La joie, le bonheur, l'amour, entremêlés de danses et de chants seront au programme. On prévoit un débordement total. Avouez, Bon Dieu, que vous êtes un peu excessif. Quand vous donnez, vous donnez. Quand vous aimez, vous aimez. Cela dit tout. S'il en reste un peu, après la fête, faites-nous donc envoyer un petit *doggy bag*... Ici-bas aussi, on s'apprête à faire la fête: la naissance d'un enfant apporte toujours la joie dans les cœurs, surtout quand c'est un Dieu qui prend une forme humaine. Quelle belle et bonne nouvelle!

Vous vous êtes sûrement dit: «Enfin, les hommes vont être contents. Je leur envoie un Sauveur, le Messie promis. Le Ciel et la Terre, d'un commun accord, vont s'unir pour chanter en chœur des alléluias sans fin.» La Bonne Nouvelle, parlons-en! Hélas, l'euphorie fut de courte durée. À peine Jésus était-il né que déjà on voulait s'en débarrasser, le tuer même.

Avez-vous remarqué, Bon Dieu, que chaque fois que vous faites un bon coup, il y a toujours quelqu'un qui intervient pour tout gâcher et contrecarrer vos projets?

À cette époque, Hérode, un roi sanguinaire, règne sur la Palestine. Il n'est qu'orgueil et égoïsme. L'ambition, la soif du pouvoir le dévorent. Il soupçonne tout le monde de vouloir prendre sa place, y compris sa belle-mère, sa propre femme et ses trois fils qu'il fera mourir les uns après les autres.

Quand il entend parler d'un nouveau-né dont on dit qu'il est le futur roi des Juifs, il craint déjà d'être détrôné par lui. Tuons-le! Mais comme il ignore tout de ce rival, Hérode ordonne qu'on tue tous les enfants mâles de moins de deux ans. C'est ce qu'on appellera le massacre des Saints Innocents. Du fond des âges, on entend encore la plainte des mères pleurant leur petit. Jamais cette plainte ne se taira. On l'entendra jusqu'à la fin des temps. Le prophète Jérémie l'avait prédit:

«On entend une voix dans Rama,
Lamentations, sanglots amers,
C'est Rachel qui pleure ses fils
Et refuse de se laisser consoler Car il
ne sont plus.» (31-15)

Et dire que Jésus était venu apporter la paix et l'amour sur la terre. Qu'en avons-nous fait?

Comme il se fait tard et que je me sens triste à cause de ce récit, il vaut mieux terminer ici cette lettre.

Votre fidèle correspondante, Marguerite.

Treizième épître

Montréal, le 3 janvier 2000

Mon très cher Bon Dieu,
Déjà le 3 janvier 2000 : la fin du monde n'est pas arrivée. Le vilain bogue est passé en sourdine. Le troisième millénaire se dirige mathématiquement vers le quatrième. La Terre continue de tourner. Et vous, Bon Dieu, vous êtes toujours aux commandes.

Bravo ! Ne lâchez pas ! Je vous fais confiance !

Je remarque que je ne vous ai pas encore souhaité une bonne et sainte année. Quelle étourdie je suis ! Je m'en excuse, mais j'ai deux bonnes raisons à mon crédit : j'ai été malade, j'ai perdu la voix, je suis devenue complètement aphone, ce qui semble plaire à beaucoup de monde. (Il y a là, pour moi, matière à réflexion...) Et puis, il y a les Fêtes qui sont des bouffeuses de temps : les courses, les cadeaux, les décorations, les réceptions et j'en passe. On en vient à oublier l'essentiel.

Je sais très bien que mes excuses ne sont pas valables. J'abuse tout simplement de vous, Bon Dieu. C'est devenu pour moi une habitude. Vous le savez! On dirait que je cherche à vous faire perdre patience. Vous, au contraire, êtes toujours là, Père plein d'amour attendant le retour de l'enfant prodigue. Nous sommes tous des enfants prodigues, du plus pur au plus souillé. Il n'y a que Marie qui soit sans tache.

Bon Dieu, vous êtes vraiment surprenant! Et attachant!

Vous êtes *Le Tout-Autre*.

J'en reviens à mes vœux du Nouvel An que je tiens à vous présenter officiellement et solennellement (ce qui n'est pas mon genre pourtant).

En cette année du jubilé de l'an 2000, je désire de tout mon cœur, pour vous et tous les vôtres là-haut, la continuation du bonheur sans fin dont vous jouissez. Pour vous, mon dernier souhait, *le Paradis à la fin de vos jours*, est déjà réalisé.

Cependant, mon plus grand vœu est

pour le monde d'ici-bas, nous, vos enfants qui avons perdu le chemin qui mène à vous, Bon Dieu. Puis-je vous demander un dernier effort, un dernier coup de cœur pour trouver de nouveaux moyens de nous toucher? Attachez-nous avec des chaînes s'il le faut! Ah non! ce n'est pas votre façon d'agir, ni d'aimer.

Je vous demande de déverser sur nous, encore et encore, de votre amour divin. Le monde entier serait transformé. Quel miracle! Voyez-vous cela: tout le monde en amour avec vous, Bon Dieu, et les uns avec les autres. Je n'ose y croire, mais j'y crois.

Cher Bon Dieu, ne prenez pas ces humbles conseils pour des reproches. Loin de moi la pensée de vouloir faire partie de votre CA. Je sais que vous faites tout votre possible. Mais peut-être attendez-vous de nous, ici-bas, une meilleure collaboration? Cela vaut la peine d'y penser. Moi, personnellement, que puis-je faire pour vous, Bon Dieu? Donnez-moi, s'il vous plaît, des suggestions *pratiques* que j'essaierai de mettre *en pratique.*

Malgré mon âge avancé, quand arrive Noël et le commencement d'une nouvelle année, je suis heureuse. Je renais avec Jésus, je redeviens un tout petit enfant qui veut grandir en suivant ses traces. J'ai l'impression de recommencer ma vie et de devenir meilleure.

Je prends des résolutions, qui ne durent pas bien longtemps... Pourtant, je cherche à me rapprocher de vous, Bon Dieu, et à vous plaire.

Il m'arrive d'être découragée du peu de progrès accompli. Je n'avance pas. Je piétine toujours le même petit carré de terre. Je ne sais même pas prier, depuis le temps que j'essaie. Ah oui, j'aime les grandes déclarations d'amour ! Mais vous, Bon Dieu, vous aimeriez peut-être un peu plus de réalisations ? Surtout ne perdez pas patience, je vous en prie.

La venue de Jésus sur notre terre est le plus grand événement de tous les temps. Il marque la fin de l'Ancien Testament et le commencement du Nouveau. Il m'est facile d'avouer que Jésus a toutes mes préférences. Non pas que je rejette les personnages qui l'ont précédé, tels Abraham, Moïse, Job, David, les prophètes Isaïe, Jérémie, Ézéchiel, Daniel, pour ne nommer que ceux-là. Mais je me sens plus contemporaine de Jésus que d'Abraham. Vous me comprenez, n'est-ce pas? Les attirances, ça ne s'explique pas.

L'année 2000 a été proclamée par Jean-Paul II *Année du grand jubilé.*

Soyons donc dans la jubilation! La joie, la joie de Dieu! Voilà le cadeau que je demande pour moi et pour le monde entier.

Je vous quitte, cher Bon Dieu, en réitérant mes meilleurs vœux de bonheur.

Affectueusement.

Votre épistolière, Marguerite.

Quatorzième épître

Montréal, le 15 janvier 2000

Mon très cher Bon Dieu,
Je ne sais trop comment vous exprimer les pensées qui me traversent l'esprit depuis quelques jours. J'ai peur de vous blesser, de vous faire de la peine. S'il fallait que vous ne compreniez pas mes intentions, j'en serais tellement malheureuse.

Enfin, je prends mon courage à deux mains pour vous dire que c'est la dernière lettre que je vous adresse, mon très cher Bon Dieu. J'en ai les larmes aux yeux. Non pas que je vous aime moins, mais — vais-je l'avouer? — je suis devenue *amoureuse* de votre fils, comme des milliards de personnes l'ont été avant moi.

Bon Dieu, vous me comprenez, puisque vous l'avez fait parfait, votre Jésus, comme vous d'ailleurs. De surcroît, vous lui avez donné la nature humaine afin qu'il nous soit plus accessible. *Un Dieu fait homme*, que demander de plus? Sans vouloir vous blesser, Bon Dieu, Jésus a un avantage sur vous.

Dorénavant, j'adresserai donc mes lettres à Jésus. L'adresse est la même puisque vous habitez ensemble. Je vous permets même de nous lire, car j'ai l'impression que nous parlerons souvent de vous. Ce sera même notre sujet préféré.

Avant de vous quitter, je dois vous dire que ma correspondance avec vous m'a procuré des moments de bonheur inoubliables malgré certaines difficultés de ma part. Je me suis rapprochée de vous.

Vous êtes devenu pour moi un vrai père, attentif, aimant, à qui l'on peut tout raconter, autant ses défaites que ses victoires, et tout demander, jusqu'à l'impossible. Rien ne vous surprend.

Je savais dans ma tête que vous étiez amour, maintenant, je le sais dans mon cœur. Puissiez-vous continuer à déverser dans mon âme, ne serait-ce que goutte à goutte, votre amour divin.

C'est le désir que j'exprime avant de

vous quitter. Mais au fait, je ne vous quitte pas, j'en serais incapable. Vous avez pris trop de place dans ma vie pour que je vous oublie.

Comme vous voyez, cher Bon Dieu, je n'arrive pas à terminer cette missive, j'ai tant de mercis à vous adresser. Continuez à m'aimer. Moi aussi, je vous aime.

Je vous dis bonsoir.

Votre grande amie, Marguerite.

Quinzième épître

Montréal, le 18 janvier 2000

Mon très cher Bon Dieu,
Ne soyez pas surpris. C'est encore moi.
Je ne peux résister à l'envie de vous écrire
encore une fois, pour vous faire part de
mes réflexions.

Vous devinez sans doute la peine que
j'éprouve à ne plus correspondre avec vous.
Croyez-moi, elle est immense.

Cette nuit, je cherchais le sommeil, mais
en vain. Je pensais à vous et je me tracas-
sais. Je m'accusais d'infidélité à votre égard,
de trahison même quand, tout à coup, il
me vint une inspiration, un *flash* spirituel
qui me disait à peu près ceci: «Ne sais-
tu pas qu'il n'y a qu'un seul Dieu, mais
trois personnes bien distinctes entre elles,
le Père, le Fils et le Saint-Esprit? Que tu
t'adresses au Père, au Fils ou à l'Esprit
saint, c'est toujours au même et unique
Dieu que tu parles. Crois-moi, je suis aussi

heureux que tu t'adresses au Fils ou à l'Esprit saint qu'à moi-même. Un père et une mère prennent-ils ombrage de l'admiration que l'on porte à leurs enfants? Au contraire, ils en sont doublement fiers. Je t'encourage donc fortement à t'adresser à nous trois. Demande, loue, remercie sans cesse. (En un mot, mets toutes les chances de ton côté, me dis-je.) Nous sommes toujours à l'écoute de tes prières. Aucune ne se perd, quoi que tu en penses. Pauvre petite, que ta foi est faible! Parfois elle semble morte. Surtout, ne lâche pas. Ne cède pas à l'indifférence. Voilà le grand danger qui guette mes enfants.

Lâcher prise avec ton Dieu qui t'aime tant, en serais-tu capable?»

Après cela, je me suis endormie comme un bébé dans les bras de sa maman. Quelle bonne nuit j'ai passée!

Merci Bon Dieu, Père, Fils et Esprit.

Votre épistolière, Marguerite.

ÉPÎTRES
À JÉSUS

Seizième épître

Montréal, le 25 janvier 2000

Jésus,

Je suis tout émue à l'idée d'écrire au Fils de Dieu, car tu es bien le Fils de Dieu fait homme. Celui qui est venu sur notre terre, il y a déjà 2000 ans. Tu y es resté trente-trois ans. C'est bien peu de temps, quand on pense à l'empreinte profonde que tu as laissée et qui ne s'effacera jamais. Tu nous l'as promis: «Je suis avec vous jusqu'à la fin des temps.»

Je le crois, sans l'ombre d'un doute. Évidemment, c'est un mystère: voilà la seule explication, une fois de plus.

Les mystères de mon Dieu ne me rebutent pas. Au contraire, je les aime. Je trouve tout à fait normal que Dieu se réserve quelques petits secrets afin de nous émerveiller quand nous passerons de cette vie mortelle à l'autre, où il n'y aura plus ni pleurs ni souffrances. Ce que la raison ne peut comprendre est une preuve de plus que Dieu est plus grand que l'homme et que rien ne lui est impossible. Le mystère sert à nourrir notre foi et notre espérance... Mes explications sont sans doute trop simplistes pour les grands esprits, mais je suis loin d'être une spécialiste dans le domaine. Je laisse donc aux théologiens la tâche de trouver des réponses satisfaisantes à nos interrogations.

Si je désire tant ces échanges épistolaires avec toi, Jésus, c'est pour sceller par écrit une alliance que je veux éternelle. Je me connais, je suis si volage, si fragile. S'il fallait que je t'oublie un jour, et veuille te quitter comme je l'ai fait si souvent dans le passé! Comme tu le sais, je demeure toujours la même, malgré les quelques progrès à peine perceptibles qu'il m'arrive de faire de temps en temps. À ce sujet, je ne m'en fais pas trop. J'ai appris au fil des ans à connaître ton infinie bonté et à compter sur toi. Avant tout, tu regardes le cœur de tes amis, et ne suis-je pas ton amie? «De qui aurais-je crainte?»

J'aime à prononcer ton nom, Jésus, à le redire en silence ou à haute voix. Il est à la fois d'une douceur et d'une puissance sans pareilles. Il me sert de lien pour atteindre l'au-delà. Il est la clé d'or qui peut ouvrir le cœur du Père. Un théologien dont j'oublie le nom a déclaré récemment que ton nom seul, en lui-même, est un sacrement. Quelle merveilleuse réalité!

Tu dois les aimer, ces théologiens qui ne cherchent qu'à te faire connaître et aimer davantage. Continue de les guider pour notre plus grand bien à tous. Nous avons tellement besoin de lumière, de vérité et d'amour pour combattre les ténèbres, le mensonge et la haine.

Cher Jésus, je termine ici ma première missive qui, je l'espère, te fera plaisir. Avec ta permission, j'ai bien l'intention de poursuivre cette correspondance. Je sens qu'elle me sera bénéfique. Te fréquenter ne peut être que positif et enrichissant.

Ton épistolière, Marguerite.

P.-S. Tu sais sûrement qui je suis, Jésus; c'est moi qui ai écrit une quinzaine de lettres à ton Père, ces derniers mois.

Dix-septième épître

Jésus,

Avec quelle joie je viens de nouveau m'entretenir avec toi, ce soir! J'ose espérer que tu as reçu ma première lettre et qu'elle t'a fait plaisir, car c'est aussi un des buts que je recherche en t'écrivant.

On se fréquente depuis si longtemps, toi et moi, qu'il ne devrait plus y avoir de cachettes entre nous. Sans mot dire, on devrait pouvoir deviner la pensée de l'autre, et ainsi vivre une intimité qui ferait l'envie de tous les amoureux de la terre. Hélas, je n'en suis pas là! Et c'est moi la seule responsable, je l'avoue. Je me mets des bâtons dans les roues, je rue dans les brancards... (Je m'excuse d'employer des expressions aussi prosaïques, mais elles reflètent bien la réalité.)

Toi, Jésus, tu n'as rien à te reprocher. Tu fais ton gros possible, je le reconnais.

Ne m'abandonne pas à mes propres forces, j'en ai si peu. Continue de me soutenir. Peut-être, un jour, viendras-tu à bout de moi? Vois ma bonne volonté. Moi, je compte sur ton amour, que tu répands sans distinction (discrimination?) sur chacun de nous.

En tant que Dieu, Jésus, tu me connais de toute éternité. J'existais avant de naître, si l'on peut dire, puisque j'étais dans la pensée de Dieu. D'après tes calculs, je dois être passablement vieille. D'après les miens, je ne suis pas de la première jeunesse. Malgré toutes ces données, je n'arrive pas à savoir mon âge. Mais tout cela n'a aucune importance. Laissons là ces vains propos. L'essentiel, c'est que nous nous soyons rencontrés.

Tu voulais que nous devenions amis, et tu n'as pas hésité à faire les premiers pas.

« Je vous appelle mes amis, as-tu dit. Ce n'est pas vous qui m'avez choisi, c'est moi qui vous ai choisis et établis, afin que vous alliez et que vous portiez du fruit et que votre fruit demeure. Je vous ai aussi établis, afin que tout ce que vous demanderez au

Père en mon nom, il vous l'accorde. Ce que je vous commande, c'est de vous aimer les uns les autres[1]. »

Que tes paroles sont belles et profondes, Jésus, mon grand ami! Je n'ai plus rien à ajouter, sinon te dire merci pour tant d'amour.

Ton épistolière, Marguerite.

---

1 Jean, ch. 15, v. 14.

Dix-huitième épître

Montréal, le 12 février 2000

Mon cher Jésus,
Ai-je besoin de te le dire? T'écrire tous les jours me procure une joie ineffable. C'est comme passer du temps avec quelqu'un qu'on aime et qui vous aime.

De ton amour, je ne puis douter, tu m'en donnes trop de preuves. Et malgré mes manquements, tu sais que je te le rends bien.

Tout ce qui te concerne me fascine. Je veux tout savoir de toi, de ta vie avec ta famille et tes amis. Comment étais-tu enfant, adolescent, homme? C'est évidemment dans les Écritures que j'apprends à te connaître et, grâce à la foi que tu me donnes, tout devient lumière et vérité. Quel don inestimable que la foi!

De ton enfance, on connaît si peu de choses. Seul, Luc l'évangéliste, nous livre parcimonieusement quelques aspects de

cette période : « Quant à l'enfant, il grandissait et se fortifiait, tout rempli de
sagesse, et la faveur de Dieu était sur lui. »
C'est bien peu et beaucoup à la fois.
J'aurais aimé en savoir davantage : te voir
jouer avec tes amis, travailler le bois avec
Joseph, aider Marie dans ses tâches quo-
tidiennes. Bien que ce ne soit pas écrit,
je sais que tu étais l'enfant parfait dont
rêvent tous les parents.

J'étais toute jeune quand ma mère m'a
appris à t'aimer. Elle me parlait beaucoup
de toi, et chaque soir, elle récitait cette
prière dont je me souviens encore : « Mon
Dieu, je vous donne mon cœur, prenez-
le s'il vous plaît... Bénissez papa, maman,
mes frères, mes sœurs, mes tantes... » et
la kyrielle de noms défilait, s'allongeant
sans cesse, non par piété, mais pour retar-
der l'heure du coucher !

Les baisers suivaient, sans fin, jusqu'à ce
que la lumière s'éteigne et que ma mère
si douce prononce d'un ton ferme : « À
demain, que le petit Jésus te garde. » Ces
paroles étaient les dernières que j'entendais
avant de m'endormir. Inconsciemment,

ton nom, Jésus, s'inscrivait dans mon âme.

L'enfance, quand on est aimé, c'est une des plus belles époques de la vie. Les souvenirs heureux aident plus tard à mieux affronter les difficultés.

Tu as eu une belle enfance, je crois, et moi aussi.

Cher Jésus, comme il se fait tard, je termine ici l'évocation de nos enfances, et je te prie d'embrasser nos parents.

Très affectueusement,

Ton épistolière, Marguerite.

Dix-neuvième épître

Montréal, le 20 février 2000

Mon très cher Jésus,
Comme tu vois, me revoilà toute joyeuse en ta compagnie. J'aime penser à toi et te suivre tout au long de ta vie terrestre. M'as-tu vue, toute petite, cachée derrière toi, épiant chacun de tes gestes?

Ton pèlerinage sur terre a été de bien courte durée en regard de la mission qu'on t'avait confiée: sauver l'humanité! Tu as fait ta large part: mourir sur une croix, comme un criminel, pour chacun de nous.

Tu nous demandes à notre tour de faire notre petite part, en nous aimant les uns les autres. Cela ne devrait pas être si difficile, et pourtant...

La belle aventure a commencé par ta naissance à Bethléem, il y a 2000 ans cette année. Puis il y eut ton enfance cachée à Nazareth, avec tes parents Marie et Joseph. Et, comme tous les enfants du monde, tu es devenu adolescent. Avouons que cette étape de la croissance est difficile, et pour les enfants et pour les parents...

Tu devines sans doute où je veux en venir. C'est à titre de mère que j'ose exprimer un certain désaccord sur ta conduite. Je sais que, dans le judaïsme, à douze ans, vous êtes investi d'une immense responsabilité spirituelle, mais n'êtes-vous pas encore bien jeunes pour vous émanciper de l'autorité de vos parents? Je fais ici allusion à l'incident du Temple, qui a presque fait mourir d'inquiétude Marie et Joseph. Comme je les comprends! Ils t'ont perdu pendant trois jours! Je serais devenue folle!

L'évangéliste Luc raconte que vous étiez montés tous les trois de Nazareth à Jérusalem, pour fêter la Pâque juive.

Au moment de repartir, alors que tes parents croyaient que tu les suivais, en enfant docile que tu étais, ils s'aperçurent tout à coup que tu n'étais plus avec eux. Affolés, ils se mirent à ta recherche, à pied évidemment. Au bout de trois jours d'angoisses intolérables, ils t'ont enfin trouvé au temple, assis au milieu des docteurs de la Loi, les écoutant et leur enseignant. Tous étaient dans l'admiration, s'extasiant de ton intelligence et de tes réponses. Tu parlais déjà en maître. «Jamais personne n'a parlé comme cet homme», disait-on. Et tes paroles sont toujours aussi belles et toujours actuelles.

Et ta mère te fit simplement ce reproche (bien doux à mon avis): «Mon enfant, pourquoi as-tu agi de la sorte avec nous? Vois ton père et ta mère qui te cherchaient tout angoissés.» Ta réponse fut assez énigmatique: «Ne savez-vous pas que je dois être aux affaires de mon Père[2]?»

L'évangéliste ajoute que tes parents ne comprirent pas ce que tu voulais dire, et que Marie garda «toutes ces choses dans son cœur». Moi non plus, je ne comprends pas ta conduite. Pour ta défense, Luc termine son récit sur une note positive: «Et Jésus grandissait en taille, en sagesse et en grâce devant Dieu et devant les hommes.»

---

2 LUC 2, 41

Jésus, à peine ai-je exprimé ce que j'avais sur le cœur (depuis longtemps) que, déjà, je le regrette et m'en excuse. Comme toujours, j'ai jugé sans réfléchir. Une vraie tête de linotte, comme disait ma mère. Qui suis-je, moi, simple créature, pour exiger de tout comprendre de ton mystère?

Je sais que tu es venu nous révéler un Père plein d'amour. Tu nous as donné l'exemple en faisant passer sa volonté avant toutes autres. Le fait de t'avoir perdu trois jours a causé de terribles inquiétudes à tes parents. Je devrais ressentir la même angoisse à l'idée de perdre ta présence. Pourtant, j'en suis bien loin.

Malgré tout, accepte ma bonne volonté et l'assurance de mon amour, aussi imparfait soit-il. Que mes déclarations d'amour ne soient pas que de vaines paroles... Tel est mon désir.

Ton épistolière, Marguerite.

Vingtième épître

Montréal, le 28 février 2000

Mon très cher Jésus,
C'est encore moi. J'espère que tu n'es pas trop *tanné* de me lire. Peut-être te demandes-tu pourquoi je t'écris? Je n'ai pas de nouvelles sensationnelles à te transmettre. Ici-bas, tout semble pareil, rien ne change, du moins en apparence. Les hommes sont toujours les mêmes, malgré ton passage, et ton message d'amour que chacun interprète à sa façon, plus ou moins égoïste, moi la première.

Admets que c'est tout un effort de compréhension et de changement que tu exiges de nous! À t'entendre, il nous faudrait aimer tout le monde. Aimer ceux qui m'aiment et agissent selon mes critères de conduite, pas de problème; mais aller jusqu'à aimer ceux qui m'agacent ou me déplaisent? Tu en demandes beaucoup! Toute seule, cela m'est impossible.

Il me faut ton aide et ton exemple.

Si donc je t'écris, c'est tout simplement parce que l'humain en toi me fascine tout autant que le divin. Tout ce qui te concerne m'intéresse. Tu es à la fois insaisissable et si proche.

Dans ma dernière lettre, je t'ai laissé adolescent, assis au milieu des docteurs à la synagogue. (J'ai résolu de ne plus parler de cette histoire. Pour moi, l'incident est clos.) Et puis, on perd ta trace, pour te retrouver à l'âge de 30 ans, prêt à entreprendre ta mission.

Qu'as-tu fait durant cette longue période? Tout ce qu'on nous rapporte, c'est que ton père t'a appris son métier de charpentier. Si j'en juge par ta vie publique, celui-ci ne t'a pas tellement servi. J'imagine que tu as beaucoup prié et médité durant toutes ces années, afin de te préparer à la mission qui t'attendait.

Donc te voilà sur le marché du travail, en quelque sorte, sans diplôme, ni références, ni CV éblouissant. Tu n'as aucun appui chez les puissants de ce monde. Et tu n'as qu'un seul but: faire connaître et aimer ton Père du Ciel. Tout d'abord, il te faut prouver que tu es le Fils de Dieu, le Messie promis, ce qui n'est pas facile à accepter pour les Juifs, surtout s'ils sont pharisiens ou docteurs de la Loi.

Le projet est de taille. Heureusement, la foi en Dieu t'habite. Cela t'aide à ne pas te décourager. Je me demande comment j'aurais réagi si j'avais vécu dans ton temps ? T'aurais-je accepté, t'aurais-je suivi ?

C'est pourquoi je suis heureuse de vivre en l'an 2000. Sachant tout ce que je sais de toi, il m'est impossible de douter de ton amour.

Sur ce, je dois te quitter à regret et te dire discrètement à l'oreille que je t'aime plus qu'hier.

Ton amie, Marguerite.

Vingt et unième épître

Montréal, le 5 mars 2000

Mon cher Jésus,
Ce soir, je suis triste en pensant à toi. Je te vois quitter la maison où tu as vécu pendant près de trente ans, dire adieu à ta mère chérie et partir, le cœur tout bouleversé, sur des chemins inconnus.

Pour tout bagage, tu as sur le dos une besace qui contient un petit lunch de rien du tout: une miche de pain, quelques olives et des dattes. Je le sais, car j'ai vu ta mère l'y déposer discrètement, à ton insu.

Je te regarde t'éloigner. Tu es beau, presque majestueux dans ta tunique blanche tissée d'un seul morceau. Cependant, tu as l'air pensif et triste. Il y a de quoi! Toute séparation amène une déchirure. On dirait que tu ignores où tu t'en vas... De surcroît, pourquoi pars-tu à la nuit tombante, alors que tu ne sais même pas où coucher? C'est à croire que tu fais exprès pour te mettre dans le trouble, et ce n'est pas fini!

As-tu déjà en tête les paroles que tu diras au scribe qui voudra te suivre? «Maître, je vous suivrai partout où vous irez.» Et toi: «Les renards ont leurs tanières, les oiseaux du ciel ont leurs nids, mais le Fils de l'homme n'a pas une pierre où reposer sa tête[3].» Il est difficile de trouver plus grand dénuement!

Pauvre Jésus que j'aime, je me permets de t'accompagner, au moins par la pensée, dans ta mission périlleuse, et de glisser sous ta tête un oreiller rempli de tendresse et de bonnes intentions.

Malgré tout, je te souhaite une bonne nuit.

Marguerite.

---

3 Mathieu 8,20

Vingt-deuxième épître

Montréal, le 7 mars 2000

Mon bien-aimé Jésus,
En t'écrivant, j'ai souvent l'impression de redire les mêmes choses, de te raconter des faits et gestes que tu connais mieux que moi. Mais ton histoire est si *extraordinaire*, hors norme, qu'on n'a jamais fini de l'approfondir.

Je te demande de me prendre comme je suis : une vieille radoteuse. Au milieu de ce fouillis de mots et de phrases, puisses-tu décoder mon message d'amour !

Dans ma dernière lettre, je m'inquiétais de ton départ de Nazareth, moment où commence ta vie publique. Je sentais ton cœur partagé entre la tristesse de quitter ton humble foyer et l'exaltation d'aller enfin annoncer à tous le royaume de Dieu.

J'espère que ta première nuit, probablement passée à la belle étoile, n'a pas été trop pénible. Mais tu n'es pas du genre à te dorloter, tu nous en as donné plus d'une preuve! Quel exemple difficile à suivre! Dire que je suis incapable de supporter le moindre malaise, sans me plaindre (à ceux et celles qui ont la patience de m'écouter) et sans recourir au *Tylenol*... Je suis loin du martyre. D'ailleurs, je n'y aspire pas.

Bien que personne ne connaisse ton plan d'action, toi tu le sais. Ta première démarche est donc d'aller à la rencontre de ton cousin Jean, qu'on surnomme le Baptiste. Étant le fils d'Élizabeth, la cousine de ta mère, il devient automatiquement ton cousin (issu de germain). La naissance de celui-ci avait été tout un événement car sa mère était déjà très âgée quand elle l'avait conçu. Zacharie, son mari, ne voulant pas y croire, il fut puni de son manque de foi et devint muet jusqu'à la naissance de son fils. On peut le comprendre... Mais il a ainsi appris (et nous aussi!) que «rien n'est impossible à Dieu[4]».

---

4 Luc (1,30).

Dis-moi, Jésus : pourquoi est-ce si difficile de croire, même devant l'évidence? Je sens le besoin de t'adresser une prière, pour moi et pour les autres : « Jésus, augmente ma foi, notre foi. »

Jean a maintenant 30 ans, comme toi. Il vit dans le désert, et se nourrit de miel et de sauterelles. Régime plutôt amaigrissant, particulièrement recommandé durant le carême! Il attire de nombreux disciples qu'il baptise dans les eaux du Jourdain, d'où son nom de Baptiste. On l'appelle aussi le Précurseur, car il annonce ta venue avec ardeur. C'est un passionné. Il est tout feu, tout flamme. Il n'a pas ta douceur, Jésus, mais il est humble et sincère comme toi.

En te voyant, il prononce ces mots prophétiques : « Voici l'Agneau de Dieu, celui qui enlève les péchés du monde. » Et toi, Jésus, tu demandes humblement à ce qu'il te baptise. À ce moment précis, le ciel s'ouvre et l'Esprit saint descend sur toi sous la forme d'une colombe, tandis qu'une voix se fait entendre : « Voici mon Fils bien-aimé, écoutez-le. »

Ces paroles sont la confirmation tout à la fois de ta divinité et de ton humanité. Avant de te quitter, je te dis : « Jésus, vrai Dieu et vrai homme, je t'adore et je t'aime. »

Ton épistolière, Marguerite.

Vingt-troisième épître

Montréal, le 17 mars 2000

Bien-aimé Jésus,
Ce soir, pour tout t'avouer, j'ai le goût du *farniente*: ne rien faire, perdre mon temps, écouter la télé, faire mon jeu de patience ou des mots croisés, ou que sais-je encore?

Quand tout à coup ton image, comme un éclair, me traverse l'esprit. Peut-être attends-tu une lettre de moi? Je ne voudrais pas te décevoir, car voilà plusieurs mois que je t'écris régulièrement et j'y tiens.

À bien y penser, je crois que j'ai encore plus besoin de toi que toi, de moi. Qu'en dis-tu? Avant de sombrer à pic dans des spéculations théologiques qui ne sont pas de mon ressort, pourquoi ne pas te dire simplement des choses agréables que je garde dans le fond de mon cœur.

Merci pour la vie, avec son cortège de joies et de peines.

Merci pour la foi qui vient de toi ; cependant, j'ai l'impression que même sans elle, il me serait impossible de ne pas croire en toi.

Merci pour l'espérance, cette vertu toute joyeuse qui soutient la foi et la prolonge jour après jour.

Merci pour l'amour qui gonfle le cœur, et permet d'aimer de plus en plus et de mieux en mieux.

Merci surtout pour toi, Jésus.

Ta grande amie,

Marguerite.

Vingt-quatrième épître

Montréal, le 28 mars 2000

Mon très cher Jésus,
J'ai le goût de te raconter mes petites histoires, comme à un ami de toujours. Tu sais combien tu es important dans ma vie et la place que tu y occupes. Je ne pourrais plus vivre sans toi.

Dernièrement, il m'arrive de m'entendre prononcer ton nom à haute voix, sans raison — Jésus, Jésus, Jésus —, et de te parler comme si tu étais à côté de moi. Cela m'inquiète. Serait-ce le début de la sénilité? Ou une prière qui monte inconsciemment de mon cœur? Je devine que c'est toi qui m'inspires et que tu es content de savoir que mon cœur s'emplit de toi, même sans y penser. Tu veux tellement être aimé que tous les moyens sont bons pour arriver à tes fins.

Quand je t'ai ouvert la porte de mon cœur, tu y es entré pour y demeurer. Mais tu es si délicat que tu m'avais auparavant demandé la permission, que je t'ai accordée, grâce à Dieu! Et tu n'es pas entré les mains vides, loin de là. Tu avais les bras chargés de provisions, difficiles à dénombrer tant il y en avait. Tout ce que l'apôtre Paul décrit comme les fruits de l'Esprit: amour, joie, paix, patience, bonté, bienveillance, foi, douceur, maîtrise de soi. Que ces fruits sont savoureux! Quand on y a goûté, on ne saurait plus s'en priver!

Ai-je assez de provisions pour survivre jusqu'à l'éternité?

Sur cette interrogation, je te dis bonsoir, bonne nuit et à demain.

Ta fidèle et aimante épistolière,

Marguerite.

Vingt-cinquième épître

Montréal, le 30 mars 2000

Mon bien-aimé Jésus,
Depuis le début de ta vie publique, tu sais combien j'aime te suivre dans tous tes déplacements. Je me donne l'illusion de t'accompagner réellement. J'aime surtout recevoir tes enseignements; chacune de tes paroles est à la fois si simple et si profonde! «Jamais homme n'a parlé comme cet homme.» Et cet homme, c'est toi, Jésus. J'ai déjà cité cette phrase, mais que m'importe. Je suis prête à la répéter des milliers de fois, s'il le faut, pour te faire connaître et aimer. N'est-il pas normal d'admirer un personnage qui accomplit des actions si remarquables, de lui dire et redire son admiration?

Ta mission était de changer le monde avec un seul et unique message: l'Amour. Pas la recherche de toutes les satisfactions, mais l'amour qui se dépouille de son égoïsme. J'avoue que c'est tout un pro-gramme que tu proposes, mais avec ton aide, petit à petit, on y arrive.

Pour accomplir cette gigantesque tâche, tu as voulu t'associer à des hommes sim-ples et, pour la plupart, ignorants. C'est à n'y rien comprendre! (Veuille, s'il te plaît, m'excuser auprès de tes apôtres.) Tu n'as exigé d'eux ni examen, ni diplôme, ni entrevue préliminaire. Un seul regard, une seule parole de toi ont suffi pour que douze hommes laissent tout en plan — famille, barque, filets — pour s'attacher à toi pour toujours.

Leurs noms sont restés: André, Pierre, Jean, Jacques, Thomas, Matthieu, Philippe, Barthélémy, Jacques le mineur, Thaddée ou Jude, Simon, le zélote et Judas, hélas! de triste mémoire.

Des générations de Québécois portent ces beaux prénoms.

Et que dire des femmes qui t'entouraient de leur affection et de leurs bons soins!

Elles devaient être si nombreuses qu'on n'a pu retenir leur nom à toutes, sauf pour les plus connues mentionnées dans les évangiles: Marthe, Marie, Madeleine, Suzanne, Jeanne.

Après vingt siècles, tu exerces toujours la même attraction. Malheureusement, nombreux sont ceux qui te rejettent, mais avec ton cœur débordant d'amour et tel que je te connais, tu finiras bien par les toucher à la faveur de quelque événement.

Je suis fière de terminer cette lettre sur une note pleine d'espérance.

Ton épistolière, Marguerite.

P.-S. N'oublie pas, Jésus, de me compter parmi celles qui t'aiment.

Vingt-sixième épître

Montréal, le 3 avril 2000
Hymne au printemps

Mon très cher Jésus,
J'aime t'écrire le soir, alors que j'ai fait taire tous les bruits de la maison pour bien profiter de ta présence. Mais aujourd'hui, je fais exception. Il est trois heures de l'après-midi et je suis heureuse. Je ne puis contenir ma joie, grâce à toi!

C'est le début du printemps. Le soleil s'engouffre dans la maison, les bras chargés de lumière et de chaleur.

Je me sens renouvelée, pour ne pas dire toute jeune, malgré les ans qui s'accumulent derrière moi. Je regarde toujours en avant, vers l'avenir, non pas en arrière. L'exemple de la femme de Loth me donne une sérieuse leçon. S'il fallait que... j'en ai froid dans le dos!

J'aime la vie avec son chargement de belles et bonnes choses. Je me résigne avec peine à en accepter les mauvaises. Tu le sais mieux que personne, puisque tu entends mes plaintes, mes lamentations, mes gémissements à la moindre contrariété. Après tant d'années, je ne m'habitue pas à la souffrance. Encore une fois, je n'ai pas l'étoffe d'une martyre...

Serait-ce trop te demander de bien vouloir m'épargner dans l'avenir? Je suis si fragile. Je suis comme une vieille porcelaine ébréchée qui peut casser au moindre choc. Pardonne-moi d'être si lâche, toi qui me combles de tant de faveurs. Je ne suis qu'une ingrate.

J'aime la vie quand tout va bien et, à travers elle, c'est toi que j'aime.

Il y a des moments où je suis si heureuse que j'ai l'impression que l'Esprit saint m'a prêté ses ailes.

Voilà ce que je voulais te dire, aujourd'hui.

Bien à toi (c'est bien vrai!),

Marguerite.

Vingt-septième épître

Montréal, le 5 avril 2000

Mon bien-aimé Jésus,
Comme tu le sais — puisque tu sais tout —, mon père et ma mère m'ont appris très jeune que la jalousie et l'envie étaient deux défauts (qu'on appelait autrefois péchés) dont il fallait se débarrasser le plus tôt possible. Inutile de les traîner toute sa vie.

De toute façon, ils n'apportent rien à personne, ni au jaloux, ni au jalousé, pas plus qu'à l'envieux et à l'envié. Leur seul effet est de faire souffrir ceux qui en sont atteints. Ils sont comme un ver qui ronge le cœur.

J'en ai fait l'expérience dès l'enfance. Aussitôt que j'en ai ressenti les morsures, je m'en suis débarrassée. Je ne suis pas masochiste. Souffrir inutilement ne m'intéresse pas.

Après ce long préambule, tu dois te demander où je veux en venir. Eh bien, patience, Jésus, j'y arrive! Je dois confesser humblement qu'il me reste quelques séquelles de ces vilains défauts ci-haut mentionnés. Ces virus ont la vie dure.

Voilà: j'envie ceux et celles qui t'ont connu, suivi, écouté, aimé, touché.

Faire partie de tes intimes, tel est mon rêve! Mais, je suis née trop tard. Alors, mieux vaut me résigner. D'autant plus qu'à bien y penser, je n'ai rien à envier à ceux qui t'ont côtoyé. Avant de quitter cette terre, tu as pensé à tous ceux qui naîtraient dans les siècles à venir. Tu ne nous as pas laissés orphelins. N'as-tu pas dit: «Je suis avec vous jusqu'à la fin des temps?» De plus, tu nous as légué le plus bel héritage qui soit, et pour lequel je te remercie, ta Parole et ta Personne même.

Mais dis-moi, Jésus, qu'est-ce que j'ai à toujours me plaindre? Que veux-tu, je suis insatiable de bonheur.

Avec ta douceur habituelle, tu me souffles à l'oreille: «Est-ce là la foi que je t'ai donnée? Est-elle trop faible pour croire que je suis aussi vivant maintenant qu'il y a deux mille ans? Ne sois pas comme mon apôtre

Thomas qui doutait de ma résurrection. Il disait avec véhémence: "Si je ne le vois pas de mes yeux, non je ne le croirai pas."»

Jésus, tu as eu pitié de son manque de foi et tu lui es apparu en lui adressant ce doux reproche: «Thomas, parce que tu as vu, tu crois. Heureux ceux qui croient sans avoir vu[5].»

Merci, Jésus, d'avoir bien voulu que je fasse partie de ces heureux qui croient sans avoir vu. Mais augmente encore ma foi!

Pour que Thomas croie, tu as été jusqu'à lui dire: «Introduis ici ton doigt et vois mes mains, mets ta main dans mon côté et ne sois plus incrédule, mais croyant[6].»

C'est alors que jaillit du cœur de Thomas la plus belle des exclamations: «Mon Seigneur et mon Dieu!»

Avec quelle joie je la fais mienne et te redis à mon tour, mon Seigneur et mon Dieu, je crois en toi.

Ton épistolière, Marguerite.

---

5 Jean, 20, 28.
6 Jean 20, 27.

Vingt-huitième épître

Montréal, le 19 avril 2000

Bien cher Jésus,
Excuse-moi, Jésus, je sais que tu vas me trouver fatigante, mais c'est plus fort que moi, j'ai encore une question à te poser. Dis-moi, pourquoi ne te voit-on jamais rire ni sourire?

Car, à travers tes déceptions et tes souffrances — je suis sûre que tu ne regrettes rien —, il y a eu sans aucun doute des moments dans ta vie où tu devais être très heureux, non?

Quand, par exemple, tu envoyais tes apôtres en mission proclamer la bonne nouvelle d'un Dieu amour et non vengeur, et qu'ils revenaient tout joyeux et fiers de leurs succès; ou encore, quand un de ces derniers racontait quelque histoire drôle ou cocasse! Toi qui sais si bien écouter, je t'entends rire, et même aux éclats, tant tu ne pouvais contenir la gaieté qui t'habitait.

Et quand les enfants couraient pour se blottir tout contre toi, avec quelle joyeuse tendresse tu les accueillais! À ceux qui voulaient les en empêcher, tu disais: «Laissez venir à moi les petits enfants!» Je vois ton visage s'illuminer et se parer d'un sourire plein d'amour. Comme tu les aimes, les petits enfants! Tu nous recommandes même de devenir comme eux.

À travers le temps et l'espace, j'entends encore l'écho de tes rires et cela me met le cœur en fête.

Pour ce soir, je t'envoie mon plus beau sourire.

Marguerite.

Vingt-neuvième épître

Montréal, le 21 avril 2000

Mon bien-aimé Jésus,
C'est aujourd'hui vendredi. Qu'y-a-t-il d'extraordinaire à cela? Des vendredis, il y en a... cinquante-deux par année. D'où me vient donc ce besoin impérieux de t'écrire aujourd'hui? C'est que ce vendredi n'est pas comme les autres, c'est le Vendredi saint, jour sanctifié par ta passion et ta mort sur la croix.

Pauvre Jésus! Puissions-nous ne jamais l'oublier!

C'est le Vendredi de l'agonie au Jardin des Oliviers où tu vis une telle angoisse que tu sues des gouttes de sang — tu es seul, trahi, abandonné de tous. Tu supplies tes apôtres de veiller une heure avec toi et de prier. Mais en vain, ils s'endorment. Une plainte, comme il n'y en eut jamais, sort alors de ton cœur meurtri: «S'il est possible, que ce calice s'éloigne de moi!»

Pauvre Jésus! Nous sommes tous des faibles!

C'est le Vendredi de la trahison. Pourtant, ton apôtre Judas a partagé ton intimité pendant trois ans et il t'aime. Toi aussi Jésus, tu l'aimes. Il te livre pourtant contre trente petits deniers.

«Mon ami, pourquoi me livres-tu aux bourreaux par un baiser?»

Avec quelle douceur et quelle tristesse, tu prononces ces paroles.

Pauvre Jésus! Nous sommes tous des traîtres, pardon!

C'est le Vendredi du reniement de Pierre. L'apôtre qui proclamait à pleine voix vouloir mourir pour toi. Quelques heures plus tard, il te renie trois fois devant une servante: «Non, vraiment, je ne connais pas cet homme.» C'est alors que le coq chante trois fois, comme tu l'avais annoncé.

Pourtant, c'est ce Pierre que tu choisis pour être le chef de ton Église: «Tu es Pierre, et sur cette pierre je bâtirai mon Église.»

Quand, sur le chemin du Calvaire, ton regard et celui de Pierre se croisent, du plus profond de ta douleur tu lui pardonnes. Pierre regrette et pleure amèrement son péché, mais il espère en ta bonté, pour ne pas dire en ta faiblesse...

Pauvre Jésus! Nous sommes tous des lâches!

Malgré tes souffrances, c'est le Vendredi du pardon et de la miséricorde infinie de Dieu. Avant de mourir, tu fais cette prière sublime: «Mon Dieu, pardonnez-leur, car ils ne savent ce qu'ils font.»

Pauvre Jésus! Nous sommes tous des pécheurs!

En ce Vendredi, tu nous donnes jusqu'à la dernière goutte de ton sang. Dis-moi, Jésus, pouvais-tu faire plus pour nous prouver ton amour?

En ce Vendredi saint, je m'unis à toi et je veux te dire merci, un merci bien pauvre en comparaison de ton amour sans limite.

Avec toute ma reconnaissance,

Marguerite.

Trentième épître

Montréal, le 12 mai 2000

Mon doux Jésus,
Après m'être rappelée avec piété et émotion le souvenir de ta passion et de ta mort, je ne veux pas en rester là, sans foi, ni espérance.

Je crois que tu es vraiment ressuscité! J'en veux pour preuve le récit des quatre évangélistes: Matthieu, Marc, Luc et Jean. Chacun donne la même version de ce grand événement, à quelques détails près. J'aurais aimé en savoir davantage, car tu connais ma curiosité. Quand il s'agit de toi, je suis insatiable.

Si tu permets, je vais relever ce qui me frappe le plus dans chacun de ces comptes rendus, avec évidemment quelques commentaires de mon cru. J'espère que cela ne t'ennuie pas trop? Si oui, ignore-les, je t'en prie, comme pour mes infidélités.

Tes apôtres ont d'abord eu du mal à

admettre la stupéfiante nouvelle. Pourtant, tu leur avais bien dit que, le troisième jour après ta mort, tu ressusciterais. Et ta Parole est Vérité. «Je suis le Chemin, la Vérité, la Vie.» C'est à cause de ces paroles, et de bien d'autres encore, que je crois en toi et m'attache à tes pas.

Voici Marc: «Lorsque le sabbat fut passé, Marie de Magdala, Marie, mère de Jacques et Salomé achetèrent des parfums pour aller oindre le corps du Christ...»

Réflexion: ce qui me frappe, c'est qu'on ne nomme que des femmes. Serait-ce un oubli de la part de Marc?

Matthieu: «Voici qu'il y eut un grand tremblement de terre. Un ange descendit du ciel, fit rouler la pierre et s'assit dessus. Il brillait comme l'éclair, son vêtement était blanc comme neige. À sa vue, les gardes crurent mourir d'épouvante. L'ange dit aux femmes: "Pour vous, ne craignez rien, Jésus est ressuscité comme il l'avait annoncé."»

Réflexion: quand il s'agit d'annoncer de grands événements, Dieu se sert des anges comme messagers, ou encore, des femmes...

Dieu serait-il féministe, par hasard?

Une autre constatation qui me rassure, c'est que les gardes mouraient de frayeur, alors que les femmes ne craignaient rien. Quel contraste! C'est la preuve qu'on n'a rien à craindre quand on est avec toi, Jésus.

Luc: «À leur retour du sépulcre, les femmes racontèrent tout cela aux onze apôtres mais à leurs yeux, ces paroles semblaient du délire. Ils ne croyaient pas ces femmes.»

Réflexion: pas de commentaire...

Jean raconte que Jésus apparut d'abord à Marie-Madeleine. «Elle pleurait près du tombeau et Jésus lui dit: "Femme, pourquoi pleures-tu? Qui cherches-tu?" Mais elle, croyant qu'elle avait affaire au gardien du jardin lui dit: "Si c'est toi qui l'as enlevé, dis-moi où tu l'as mis et j'irai le prendre." Jésus lui dit: "Ne me retiens pas, car je ne suis pas encore monté vers mon Père."»

Réflexion: cher Jésus, tes choix sont souvent inexplicables. Dis-moi, pourquoi avoir choisi en premier lieu, et avant tes

apôtres, Marie-Madeleine, une pécheresse,
pour lui apparaître après ta résurrection?
C'est sans doute qu'elle s'est repentie de
ses péchés et t'a beaucoup aimé. Après
t'avoir connu, pour rien au monde, elle
ne voulut te perdre. C'est bien la preuve
que ce qui compte le plus à tes yeux, bien
avant nos péchés, c'est notre amour. Tu
veux être aimé par-dessus tout. Puis-je te
dire timidement que je t'aime?

Ton amie, Marguerite.

Trente et unième épître

Montréal, le 8 mai 2000

Mon bien-aimé Jésus,
En t'écrivant, ce soir, je constate que c'est la seizième lettre que je t'écris, alors que j'en ai écrit quinze à ton Père et que l'Esprit saint attend patiemment son tour. Je ne voudrais pas faire de jaloux entre vous, mais que veux-tu, je n'arrive pas à te quitter.

Comment cela a-t-il commencé? J'avais dans mon cœur un grand désir de communiquer avec Dieu. Je recherchais une intimité plus grande. Un cœur à cœur, puisque Dieu est Amour.

Je sais que certaines attitudes permettent plus sûrement d'approcher Dieu: la méditation, la contemplation, se tenir devant Lui, immobile, et ne rien demander, perdre du temps pour Lui seul, sans calcul, être dans un abandon total. Après quelques timides tentatives, il me faut avouer que j'en suis incapable... Je suis trop feu follet.

J'ai besoin de concret, de quelque chose qu'on puisse toucher et voir. Voilà pourquoi j'ai choisi la correspondance. Mes épîtres constituent au moins une preuve que je pense au Bon Dieu.

Le Bon Dieu, c'est trois personnes à connaître et à aimer. J'avoue avoir un faible pour toi, Jésus, simplement parce que tu as bien voulu revêtir notre humanité. Tu es né de la vierge Marie, grâce à la volonté du Père et à l'action du Saint-Esprit. Vous voilà donc réunis tous les trois dans ce grand mystère.

Je ne devrais plus me tracasser à savoir qui est le premier, le plus grand, lequel est mon préféré. Vous êtes égaux et agissez toujours en parfait accord.

Votre seul but est de rendre les hommes heureux et de leur apprendre à aimer. Jésus, ne pense surtout pas que je veuille expliquer la Trinité, mais pour moi, le Père est le Créateur, le Fils, le Sauveur, l'Esprit saint, l'animateur, et le Tout est Amour!

Ah! si le monde savait!

Ta fidèle correspondante, Marguerite.

Trente-deuxième épître

Montréal, le 23 mai 2000
Il est ressuscité, comme il l'avait dit.

Mon bien-aimé Jésus,
Te rappelles-tu, il y a de cela soixante-douze ans, une petite pensionnaire de Villa Maria qui chantait avec toute la fougue de son jeune âge : « *Resurrexit sicut dixit* » ? Eh bien, c'était moi, la petite fille. Je t'aimais déjà sans le savoir. Tu exerçais sur moi une fascination qui ne s'expliquait pas. Maintenant que j'ai vieilli, je le chante encore avec une foi plus réfléchie qui vient du fond de mon cœur. Je crois aux témoignages de tes nombreux saints qui ont affirmé ta résurrection : Marie-Madeleine, à qui tu es apparu la première, tes fidèles apôtres qui t'ont accompagné durant trois ans et, à leur suite, tous ceux qui ont consacré leur vie à te faire connaître et aimer, parfois même jusqu'à mourir pour toi.

Avant de quitter cette terre pour le ciel où tu nous attends — sois patient, Jésus! —, tu as tenu à te manifester à des témoins dignes de foi. Tu étais le même, mais ton corps était transfiguré, glorieux. Tu passais à travers les murs ou les portes verrouillées, surgissant au milieu de tes disciples pour les réconforter et les instruire une dernière fois. Cependant, il n'était pas aisé pour tous de te reconnaître, notamment pour Thomas, qui n'a cru en toi qu'après avoir touché tes stigmates. À travers lui, tu prouvais ainsi aux hommes, incrédules et raisonneurs, que tu étais bien Jésus de Nazareth, mort en croix et ressuscité, vrai Dieu et vrai homme. Tu mangeais avec tes disciples. Tu as même été jusqu'à leur préparer un délicieux petit déjeuner sur la plage, en attendant qu'ils reviennent de la pêche! Ah! Jésus, quelle délicatesse de ta part!

Aujourd'hui encore, tu es plein de sollicitude envers nous, tes disciples du temps présent. Non que tu nous apparaisses ou que tu nous parles en personne, mais tu nous inspires. Il faut cependant être très attentif à ta voix, tendre l'oreille pour capter tes messages et savoir les comprendre.

Si j'avais encore un petit conseil à te donner, je te demanderais de parler un peu plus fort et un peu plus clairement. Tu comprends, Jésus, en vieillissant, je deviens un peu dure d'oreille. Pourtant, depuis le temps qu'on se fréquente, je devrais tout deviner de toi...

Il est temps que je fasse appel à l'Esprit saint. Je te quitte, sans jamais te quitter.

Ton épistolière, Marguerite.

Trente-troisième épître

Montréal, le 8 juin 2000

Mon cher Jésus,
Mon Dieu! Comme le temps passe vite!
Les activités de ce monde prennent tout
mon temps: travailler, dormir, manger,
prier un peu, et vlan, la semaine est finie!
Une autre recommence. Il en est ainsi des
années. On se réveille un matin et l'on
est déjà vieux. Tant mieux qu'on soit
vieux, sinon, on ne serait plus là. Vive la
vie! Vive la vieillesse!

Ce préambule est une excuse pour te
dire que je me sens coupable de ne pas
t'avoir écrit depuis longtemps. Coupable,
surtout, d'avoir perdu mon temps à des
futilités. Heureusement, Jésus, tu connais
tes amis (dont je suis), forts en déclarations d'amour et faibles en actions.

J'aime à lire et à relire les textes qui
parlent de toi. J'essaie de me pénétrer de
ton message. Il me semble que je n'ai

jamais assez compris ce que tu veux me dire, et qu'il y a toujours autre chose à saisir.

À vrai dire, tu portes bien ton nom de Verbe de Dieu. Tes enseignements, tes paraboles, tes échanges avec celui-ci ou celle-là ont toujours un sens infini. C'est pourquoi je suis si heureuse lorsque ta parole, surgissant de ma mémoire, passe par mon cœur et vient apaiser tout mon être. Tout ce que tu dis, tout ce que tu fais invite à l'espérance et à l'exemple. Je pense à l'enfant prodigue, à la Samaritaine, à Marthe et Marie, au jeune homme riche, à la brebis perdue, à la parabole du grain de moutarde ou à celle du trésor caché, à la tempête apaisée, à Lazare, à la pêche miraculeuse, pour m'arrêter plus longuement à l'anecdote des disciples d'Emmaüs.

Ah! Ces deux-là, je me reconnais en eux. Quand je te perds de vue et que ma foi n'est pas assez forte pour me soutenir, je désespère. Leur histoire est belle. Ils viennent de quitter Jérusalem pour retourner dans leur village d'Emmaüs. Toi, Jésus, en qui ils avaient mis leur espérance, tu viens de mourir sur une croix. C'est pour eux la fin d'un beau rêve. Ils marchent, le pas lourd, tout tristes et penauds, se remémorant les événements de ta passion et de ta mort, lorsque tu décides de leur apparaître.

Il est plus que temps de leur remonter le moral, avant que leur foi ne s'effondre! Ils ne te reconnaissent pas immédiatement car les yeux de leur âme ne sont pas encore *ouverts*. Tout en marchant avec eux, tu les interroges sur ces événements qui semblent tant les attrister. Comme ils approchent de leur village, tu fais mine de continuer plus loin. Jésus, je veux bien rester respectueuse à ton égard, mais que de ruse dans cette rencontre! Tu révèles un aspect peu connu de ton caractère: l'humour. Je l'apprécie, d'autant plus qu'il te rend encore plus humain et plus accessible. Cher Jésus!

Après cette digression nécessaire, je continue ce fascinant récit. Les disciples, sans t'avoir encore reconnu, ressentent pourtant une joie inexplicable en ta présence. Ils te font cette requête: «Reste avec nous, le soir vient et le jour décline.» Tu acquiesces à leur demande et t'assois à table avec eux. Puis tu prends du pain et du vin, les bénis et leur donnes. À ce geste, ils te reconnaissent enfin, mais déjà tu es parti... comme tu le fais si souvent avec nous. Leur allégresse est si grande, malgré tout, qu'ils se mettent à proclamer à haute voix: «Jésus est vivant!» Moi aussi, je sais que tu es vivant sur cette terre, même si je ne te vois pas.

Quarante jours après ta résurrection, tu es retourné au ciel. Le temps était venu de reprendre ta place à la droite de ton Père. Avant de nous quitter, tu nous as bénis en nous remettant le flambeau de la foi, espérant qu'il ne s'éteigne jamais. Tu as pu alors t'exclamer: «Mission accomplie!»

Avec toute mon affection,

Ton épistolière, Marguerite.

ÉPÎTRES
À L'ESPRIT SAINT

Trente-quatrième épître

Montréal, le 11 juin 2000

Esprit saint,

Je ne m'explique pas pourquoi, mais c'est d'une main tremblante et timide que je vous écris, ce soir, pour la première fois. Pourtant, je ne devrais rien craindre de vous puisque vous vous définissez comme étant amour. Et qui a peur de l'amour, dites-moi?

C'est sans doute parce que j'ai entretenu pendant plusieurs mois une correspondance assidue, d'abord avec Dieu le Père, puis avec son Fils bien-aimé. Ces échanges épistolaires m'ont apporté beaucoup de joies. Et j'étais devenue tellement intime avec eux que je n'hésitais pas à les tutoyer. Je savais, à l'occasion, leur donner des conseils (évidemment judicieux!) en ce qui concerne l'avenir de la terre et la bonne marche de l'humanité. Bien entendu, en toute bonne foi et dans un intérêt commun. D'après leurs réponses, ils semblent tous deux avoir apprécié mes suggestions et m'en ont remerciée à l'occasion. Moi-même, je leur en suis très reconnaissante. C'est pourquoi, Esprit saint, je vous supplie d'être patient avec moi. Je suis prête à me laisser transformer par vous.

Est-ce une coïncidence que je commence à vous écrire le jour même de la Pentecôte? Cette fête, qui tire son nom d'un mot grec qui signifie *cinquantième*, nous rappelle que, comme l'avait promis Jésus, cinquante jours après sa résurrection vous êtes descendu sur les apôtres et les avez investis d'une part de votre puissance. Ils en ont été transformés. De peureux qu'ils étaient, ils sont devenus courageux. Plus rien ne freinait leur zèle à annoncer la Bonne nouvelle.

Croire en vous, Esprit saint, c'est croire en l'action ininterrompue de Dieu sur la terre. Mais, avouez qu'il n'est pas facile de saisir votre nature exacte! Si au moins, comme Jésus, vous aviez pris un corps, il serait possible de vous représenter, mais vous avez préféré rester esprit... et la nature de l'esprit, justement, c'est de ne pas avoir de corps... Malgré tout, avec une bonne volonté de part et d'autre, j'ai confiance que nous parviendrons à nous comprendre et à nous aimer.

Votre épistolière, qui attend tout de vous,
Marguerite.

Trente-cinquième épître

Montréal, le 20 juin 2000

Bien cher Esprit saint,
Avant de commencer cette deuxième lettre, j'aimerais me libérer la conscience, faire en quelque sorte une confession. Vous avez lu, je présume, ma correspondance avec Dieu le Père et avec son Fils. (Unis comme vous êtes, tous les trois, il n'y a sûrement pas de secret entre vous!) Tout y était lumière et vérité.

Voici ma faute : je ne voudrais pas vous offenser par cet aveu, mais j'appréhendais le moment où je vous écrirais. Je craignais de parler dans le vide ou, pour être plus respectueuse, de crier dans le désert. Admettez avec moi, cher Esprit saint, qu'écrire à un esprit qui est, par surcroît, un saint doublé d'un Dieu, c'est beaucoup demander à une petite créature de rien du tout, eu égard à votre infinie grandeur. Il m'a fallu beaucoup d'audace... Me serait-elle venue de vous?

Cher Esprit saint, maintenant que tout malentendu est dissipé entre nous, j'ai l'intention de vous parler à cœur-ouvert. Pardonnez-moi de me répéter — j'en suis très consciente, mais j'aime à raconter (jusqu'à radoter) les beaux moments de ma vie, parler de mes amours. Vous les connaissez? Je vous les présente chaque matin dans une prière. Je reconnais que je suis une choyée de la vie, et je vous dis merci, un merci éternel.

Vous connaissez cette histoire, mais qu'importe. Pour la millième fois, j'ai envie de raconter l'expérience spirituelle que j'ai vécue en mai 1974. Grâce au Renouveau charismatique (de si mauvaise réputation) et par imposition des mains de simples laïcs, j'ai reçu une *effusion* de votre Esprit. Cette expérience a changé ma vie, vous le savez. J'ai alors soudainement pris conscience de l'amour que Dieu me portait. Je me suis sentie aimée personnellement. Dieu n'était plus seulement le Dieu qu'on adore, mais celui qu'on aime. (La petite Thérèse appelle cela «vivre d'amour». Je n'en suis pas encore là!) J'ai ressenti une sorte de coup de foudre qui a allumé un feu à l'intérieur de tout mon être. Il arrive que, avec les intempéries de la vie (comme dans l'amour humain), ce feu diminue d'intensité, mais Dieu est toujours le même. C'est à nous de souffler sur les braises pour ne pas le laisser mourir.

On dit, Esprit saint, que dans la Trinité vous êtes responsable de ce feu sacré. Jésus avait annoncé votre venue. Tel que promis, à la Pentecôte, vous êtes descendu sur les Apôtres, sous forme de langues de feu. Aujourd'hui, comme autrefois, vous venez vers ceux qui vous en prient, et même vers ceux qui ne le demandent pas. Je pense, notamment, à Paul de Tarse qui ne devait pas se préoccuper de vous outre mesure (excusez-moi, saint Paul) et dont vous avez fait un grand saint et un grand apôtre. «Rien n'est impossible à Dieu.» Nous aussi, les petits, les «sans-grade», nous voulons recevoir les *charismes* de votre Esprit saint, ces dons qui rendent la vie si belle, si simple à accepter.

Bien cher Esprit saint, je vous quitte

pour ce soir, en chantant comme autrefois : *Veni, Sancte Spiritus, Veni.*

Votre épistolière qui compte sur vous, Marguerite.

Trente-sixième épître

Esprit saint,
Vous avez sans doute été surpris du ton réservé et protocolaire de ma première lettre. Je devine vos interrogations : est-ce bien celle que je connais ? Serait-elle malade, ou encore retirée dans une « poustinia » ? Je ne la reconnais pas.

Rassurez-vous, Esprit saint, le naturel revient au galop, comme vous savez. C'est bien moi, mais « le moi, ou la moi » d'avant 1974.

Avant cette date, j'étais, selon mes critères d'évaluation, une assez bonne fille, catholique pratiquante (ce que je suis restée), observant les commandements de Dieu tout en me permettant, à l'occasion, quelques petits pas de travers. Le type du bon pharisien, quoi ! Mais dans toute cette belle pratique, il manquait l'essentiel : un amour intense pour Dieu. Pourtant, au plus profond de mon âme et depuis toujours, je n'aspirais qu'à connaître ce grand amour. Grâce à vous, Esprit saint, je réalise mon rêve un peu plus chaque jour.

Vous n'êtes pas sans vous souvenir de cette réunion de prière charismatique, au couvent Marie-Réparatrice. Votre venue subite et inattendue a tout chambardé dans ma vie. Tel un vent de Pentecôte qui balaie tout sur son passage, vous avez laissé en moi votre trace, bienfaisante et ineffaçable. Dès ce moment-là, j'ai commencé à changer, malgré que rien n'y paraisse extérieurement. Je n'ai plus le même regard ni sur les événements, ni sur les gens, ni sur moi-même. Tout vient de vous. Je le reconnais.

Vous êtes le maître d'œuvre de mon frêle édifice spirituel. Tout ce que vous exigez de moi, c'est de vous accueillir et de m'en remettre à vous. Quel beau programme! Mais je n'y suis pas encore parvenue, il reste quelques résistances de ma part.

Avant cette date mémorable de mai 74, je vous connaissais de nom; évidemment, je savais que vous étiez la troisième personne de la Trinité. J'avais reçu le baptême et la confirmation. Malgré ces deux sacrements, vous demeuriez le grand inconnu, le parent pauvre du trio divin.

Vous étiez pour moi un oiseau insaisissable qui voletait au-dessus de ma tête, sans jamais se poser. Rien ne m'incitait à vous prier. Vous attentiez le moment propice de vous révéler à moi. Vous sommeilliez sans doute paisiblement au fond de moi, ou était-ce moi qui dormais? Qu'importe, l'essentiel est que nous nous soyons éveillés en même temps. Depuis ce moment, mon cœur est rempli de joie! Et le vôtre, Esprit saint?

En attendant de vos nouvelles, je demeure votre épistolière dévouée.

Marguerite.

Trente-septième épître

Bien cher Esprit saint,
Voici la quatrième lettre que je vous écris et, déjà, j'ai envie de vous faire une déclaration. Je n'ose pas encore dire... d'amour. C'est probablement prématuré. Pourtant, plus je vous connais, plus je vous trouve extraordinaire. De l'admiration à l'amour, il n'y a qu'un pas. Comme le Père et le Fils, vous gagnez beaucoup à être connu.

Je n'ai qu'un seul reproche à vous adresser : vous êtes trop discret, trop humble, trop effacé. Vous ne proclamez pas assez haut vos bons coups — et Dieu sait que vous en faites —, vous restez toujours dans l'ombre. Pourtant, vous connaissez les hommes et les femmes, ils sont si durs d'oreille. C'est sans doute pour toutes ces raisons que vous êtes la troisième personne de la Sainte Trinité. Vous préférez vraiment la dernière place.

Peut-être me trouvez-vous trop familière dans mes propos? Il faut dire que je chemine avec vous depuis fort longtemps. Mais comme mes progrès vous paraissaient plutôt lents, vous avez décidé d'accélérer le pas. Il est vrai qu'à mon âge, il n'y a plus de temps à perdre. Il faut faire vite. J'ai dû m'adapter à votre rythme, plus rapide que le mien. Jusqu'à présent, je ne m'en plains pas, je suis à votre remorque.

J'ai remarqué que plus je fais appel à vous, plus vous semblez heureux de me répondre, mais dans les petites choses. Quand vous jugez que ma faible intelligence est incapable de comprendre, vous me renvoyez à la foi, à l'acceptation des mystères qu'on ne peut comprendre.

Tout, autour de nous, est mystère: la nature, toujours en recommencement, les saisons qui reviennent, les êtres qui naissent et qui meurent. À coup sûr, Jésus est la clé de tous ces mystères, témoin authentique de Dieu, lui qui est la Vérité. Il nous demande de croire, d'avoir la foi, et nous l'avons si peu!

Il faut lire dans l'évangile de Matthieu les reproches adressés par Jésus à ses disciples, qui doutent encore de lui: «Vous n'avez pas accompli de miracles à cause de votre manque de foi. Je vous le dis en vérité, si vous aviez la foi, gros comme un grain de moutarde, vous diriez à cette montagne: transporte-toi d'ici à là, qu'elle le ferait; rien ne vous serait impossible[7].»

Hélas, Seigneur! Jusqu'à présent, les montagnes n'ont pas bougé. Elles sont toujours à la même place. Qu'est-ce à dire?

Sur cette grave interrogation, je vous quitte, pensive.

Votre épistolière, Marguerite.

---

7 Ch17.v19

Trente-huitième épître

Montréal, le 29 juin 2000

Très cher Esprit saint,
Quel ne fut pas mon étonnement en recevant de ma charmante «saisisseuse de textes», en même temps que mes épîtres dûment tapées, la note suivante :

Comment s'est passée cette expérience spirituelle?

Je suis avide de détails.

Votre curieuse ignare,

Louise

Ces quelques mots m'ont fait un réel plaisir. J'y ai perçu un vif intérêt pour vous qui êtes trop peu connu. Aussi, ai-je bien l'intention de répondre à son désir. Mais avant de raconter cette expérience merveilleuse de l'effusion de votre Esprit, je dois dire quelques mots du Renouveau charismatique. Qu'est-ce donc que ce mouvement tant controversé? Je ne suis ni théologienne, ni historienne, mais je vais quand même essayer d'en résumer l'origine.

Le Renouveau charismatique a pris naissance chez les protestants pentecôtistes américains vers les années 50. Après avoir étudié les textes qui se rapportent à la Pentecôte, des professeurs et des étudiants en théologie se mirent à prier Dieu avec ferveur, afin que l'Esprit Saint descende sur eux et les gratifie, comme les apôtres, de ses dons charismatiques : capacité de parler en langues étrangères, pouvoir de guérison et don de prophétie. Aussitôt, ils furent exaucés.

Jésus n'a-t-il pas dit : « Demandez et vous recevrez » ?

Ils furent alors remplis d'un amour pour Dieu tel qu'ils n'en avaient jamais connu. Ils chantaient en diverses langues les louanges du Seigneur. Un feu s'alluma dans leur cœur et commença à se répandre autour d'eux. Ils étaient si joyeux, si exubérants qu'on les accusa, comme les apôtres, d'avoir bu trop de vin...

En 1967, le mouvement de la Pentecôte fit son entrée dans l'Église catholique, grâce à certains théologiens, professeurs et étudiants américains. Quelques années plus tard, sans visa ni passeport, votre Esprit s'avisa alors de franchir la frontière afin de répandre ses bienfaits au Québec. Les deux premiers ambassadeurs que vous aviez choisis pour vous représenter, sœur Flore Crête s.p. et le Père Jean-Paul Régimbald o.s.s.t., avaient déjà reçu l'effusion de votre Esprit aux États-Unis. Ce sont eux qui transportèrent la flamme charismatique chez nous. Comme le Québec était en pleine période de sécheresse spirituelle, le feu se propagea à une vitesse vertigineuse. Le vent violent qui l'accompagnait se mit à souffler, sans discernement ni contrôle, sur les grands et les petits, les faibles et les forts, les saints et les pécheurs, les croyants et les non-croyants, jusqu'à illuminer tout le ciel. C'était de toute beauté!

Fondé en 1970, le Renouveau charismatique québécois a maintenant trente ans d'existence. (Bonne fête!) Il a mûri; en apparence, il a calmé ses ardeurs. Le feu est sous contrôle, le vent a perdu de sa vélocité. Est-ce mieux? Je ne saurais le dire. Il ne faut rien regretter et laisser agir l'Esprit saint à sa guise. Il est parfois assez fantaisiste et surprenant, mais il est toujours à l'œuvre.

Cher Esprit saint, je vous fais confiance et j'attends vos nouvelles surprises avec impatience. Pour une fois, je n'ai pas de conseil à vous donner. Je n'ai que des félicitations et des remerciements à vous offrir. Sur ces bons mots, je vous dis un beau bonsoir.

Votre épistolière reconnaissante,
Marguerite.

P.-S. Je vous parlerai de mon expérience personnelle dans ma prochaine lettre.

Trente-neuvième épître

Montréal, le 3 juillet 2000

Très cher Esprit saint,
Mon témoignage, vous le connaissez mieux que personne, mais tel que promis, je me raconte à nouveau.

Par un beau soir de mai 1974, alors que j'étais au volant de ma petite voiture, en route pour je ne sais où, j'aperçois par hasard une vieille amie qui s'apprête à entrer au couvent des Sœurs Marie-Réparatrice, boulevard Mont-Royal, à Outremont.

Je ne fais ni une ni deux, et je stoppe ma voiture pour prendre de ses nouvelles. À brûle-pourpoint, celle-ci me demande si je connais le Renouveau charismatique : « Depuis bientôt un an, me dit-elle, des personnes se réunissent ici pour prier tous les mercredis soir. Ce sont en majorité des laïcs, hommes et femmes, avec quelques religieux et religieuses. » C'est assez surprenant ! Elle m'invite à me joindre à eux, mais je refuse: «Peut-être une autre fois.»

Le mercredi suivant, ma curiosité, piquée plus que je ne le croyais, me pousse malgré moi à la réunion de prière. J'entre dans une grande salle où plus de cent personnes, les yeux fermés, sont recueillies. Elles louent Dieu en chœur et lèvent les mains au ciel, à l'occasion, pour manifester leur joie. Incapable de prier, je les observe et les trouve plutôt bizarres.

Tout à coup, je reconnais l'animateur. C'est un homme important dans le monde des affaires. Je me dis en moi-même: mais qu'est-ce qu'il fait ici? Je demeure perplexe.

La prière terminée, l'animateur invite les gens qui le désirent à venir se faire imposer les mains afin de recevoir l'effusion de l'Esprit. Je ne perçois, cependant, aucune pression dans cette invitation; chacun est libre de l'accepter ou non.

Ainsi se termine la soirée de prière. Intérieurement, je me dis que j'en sais assez sur le Renouveau charismatique. Je n'ai aucune intention de revenir ici. Ce que j'ai vu m'a suffi.

Pourquoi suis-je retournée une deuxième, puis une troisième fois? Je ne saurais le dire. Seul l'Esprit saint le sait. Inconsciemment, je me laisse prendre par l'ardeur et la piété du groupe. En moi, naît un grand désir de recevoir ce qu'on appelait autrefois le baptême dans l'Esprit, et maintenant, l'effusion de l'Esprit.

Mon désir sera exaucé le soir même. Me voilà donc assise dans une petite salle discrète; quatre ou cinq personnes se tiennent debout derrière moi. Elles posent les mains sur mes épaules et sur ma tête. Elles prient spontanément, tout en s'inspirant des textes de la Bible. D'autres prient dans une langue que je ne comprends pas.

Sans raison apparente, je me mets à pleurer. Et je pleure, à n'en plus finir. Pourquoi tant de larmes? Je n'en comprends pas la raison. Plus tard, je réaliserai que je pleurais sur moi-même.

Ce soir-là, je reçois la grâce de voir au plus profond de mon âme, telle que je suis vraiment. Sous une lumière très forte, un *spot-light* de 100 000 watts, j'aperçois les sept péchés capitaux bien enracinés et bien actifs. S'il y en avait un huitième, il y serait lui aussi!

Moi qui me croyais «presque» parfaite, c'est tout un choc. Il y a de quoi pleurer!

Malgré cette douloureuse révélation, je ne sens aucun reproche de la part de Dieu. Au contraire, j'ai l'impression qu'il est heureux de me rendre visite, et qu'il veut que, moi aussi, je sois heureuse. Est-ce mon imagination? Je ne crois pas. J'entends dans mon cœur ses paroles de réconfort, qu'il adresse non pas à moi seule, mais à tous ses enfants.

Le Père dit: «Si tu savais comme je t'aime.»

Le Fils: «Ne crains rien, je te tiens par la main.»

L'Esprit: «Fais appel à moi, je suis toujours à l'écoute.»

Je goûte à l'amour de Dieu.

Vingt-six ans plus tard, je m'en souviens comme si c'était hier. Je ne suis pas près de l'oublier.

Merci à vous, votre épistolière,
Marguerite.

Quarantième épître

Montréal, le 6 juillet 2000

Bien cher Esprit saint,
Après cette expérience extraordinaire dans laquelle ma volonté n'a joué aucune part, je n'ai pas la moindre idée de ce qui m'attend. C'est plus fort que moi, je suis comme emportée dans un *no man's land* situé entre ciel et terre. Je vis une sorte de lune de miel avec Dieu. J'essaie de cacher mon exaltation, sans trop de succès. Mon entourage me trouve un peu bizarre pour ne pas dire plus...

Je prie, je chante, je loue, je bénis le Seigneur à tout venant. Je dévore la Parole de Dieu. Je ne suis jamais rassasiée. Je cours les réunions de prière. Je veux connaître la vie de tous les saints afin de les imiter.

Je saute de Thérèse d'Avila à Marthe Robin, des pères de l'Église à Maria Valtorta, de Padre Pio à Catherine Labouré, et j'en passe. Je plonge dans la méditation, l'oraison et la contemplation, avec une certaine difficulté toutefois, je l'avoue. Ces exercices semblent contrarier fortement ma nature hyperactive. Bref, rien n'est trop beau pour Dieu! Je m'accuse d'être lâche si je n'y parviens pas.

Et, pendant ce temps, du haut du ciel, vous, l'Esprit saint, me regardez aller. Vous semblez inquiet de mon équilibre mental et spirituel. Dans votre sagesse, vous décidez de baisser le thermostat de plusieurs degrés, ce dont je vous remercie. Je vis dans un état d'euphorie qui me laisse croire que je suis arrivée au bout de mon cheminement. Pourtant, vingt-six ans après, je me rends compte que ce n'était que le commencement. Pour ne pas trop me déprimer, je puis dire en toute humilité qu'avec vos suggestions, cher Esprit saint, j'ai accompli quelques progrès, et que cela continuera, je l'espère.

J'ai maintenant les deux pieds sur terre. J'aime toujours le Bon Dieu, et je sais qu'il m'aime. Cela me rend heureuse. En terminant, je vous dis merci pour l'effusion de votre Esprit. Ah! quelle belle expérience! Vous continuez à me faire vivre.

Votre épistolière, Marguerite.

Quarante et unième épître

Montréal, le 8 juillet 2000

Très cher Esprit saint,
Mais qui êtes-vous donc, Esprit saint? Étrange question, n'est-ce pas? Après la septième lettre que je vous écris, je ne saurais pas à qui je m'adresse? Non, je suis sûre que je parle à quelqu'un qui m'écoute, l'Esprit par excellence, le Saint-Esprit, la troisième personne de la Trinité. Vous êtes Dieu, au même titre que le Père et le Fils.

Je n'essaierai pas d'expliquer le mystère de la Trinité. C'est le grand mystère. D'ailleurs, nous sommes entourés de mystères: un de plus, un de moins, cela n'empêche pas la Terre de tourner ni le Soleil de se lever. Je ne m'en fais pas avec ce que je ne comprends pas. Je me dis qu'il y a quelqu'un de plus grand que moi qui sait. Je baisse un peu la tête et j'accepte. Un jour, je saurai, et ce jour, n'est pas si lointain...

En vieillissant, ma foi ressemble de plus en plus à celle d'un enfant. Je ne me pose plus de question. Cela ne veut pas dire que ma foi exclut celle des théologiens, exégètes et autres biblistes qui scrutent les mystères. Au contraire, je les aime et les admire. Ils sont les pionniers, les chercheurs, les aventuriers de la foi. Et nous en sommes, égoïstement, les bénéficiaires. Souvent, ils risquent d'être condamnés, rejetés, bâillonnés, y compris par les croyants que nous sommes. Plusieurs sont de vrais martyrs. Pourtant, c'est grâce à leurs recherches qu'on peut vous nommer, avec certitude, le Paraclet, l'Avocat, le Défenseur. Vous êtes l'unique Paraclet, le meilleur avocat des causes désespérées. Vous réussissez « presque » toujours à gagner votre cause ! Si, humainement, cela paraît impossible, ô miracle ! le règlement est toujours à l'avantage du perdant.

Votre réputation franchit les frontières : on fait de plus en plus appel à vos services, ce qui est très encourageant. Vous êtes vraiment hors de l'ordinaire !

Conseiller, soutien, dispensateur de grâces.

Et en plus d'être avocat, vous êtes psychologue, psychiatre et comptable! J'avoue que c'est assez impressionnant comme titres universitaires!

Après de si grands éloges, oserais-je vous avouer que je ne vois qu'une ombre au tableau? En effet, je ne vous trouve pas très bon administrateur: trop souvent, vous distribuez à tort et à travers les biens du ciel que le Père et le Fils vous confient. Vous ne faites aucune enquête sur la moralité de la personne qui les reçoit. Le gaspillage des grâces ne semble pas vous préoccuper...

Je m'excuse de vous dire ma façon de penser aussi crûment, mais j'imagine que vous devez avoir de bonnes raisons pour agir ainsi. Dans le fond, Esprit saint, vous savez que je vous approuve puisque je suis parmi ceux et celles qui profitent de votre prodigalité.

Votre épistolière remplie de gratitude,
Marguerite.

Quarante-deuxième épître

Montréal, le 10 juillet 2000

Bien cher Esprit saint,
J'ose espérer que tu connais bien la nature humaine, de même que ceux qui la représentent. Tu sais comme cette dernière est sujette au changement !

Pauvre Esprit, tu dois te demander où je veux en venir ? Depuis le temps que je corresponds avec toi, tu dois commencer à me connaître : moi aussi, je suis changeante et imprévisible.

Dans ma dernière missive, j'ai déclaré (avec la plus grande sincérité) avoir la foi de l'enfant et ne plus me poser de questions. Aussitôt ma lettre postée, un flot de questions — toutes insolubles pour moi — a submergé mon esprit.

Pourquoi ai-je la foi, alors que d'autres ne l'ont pas ? La foi est-elle un don gratuit de Dieu, ou est-ce moi-même qui me la donne ? Est-ce parce que je la désire que je l'ai? Et pourquoi est-ce que je la désire tant? Est-ce que je crois uniquement pour ma sécurité? Est-elle une béquille qui me soutient? Suis-je meilleure parce que je crois? Suis-je plus heureuse que celui qui ne croit pas? La foi influe-t-elle sur la santé morale et physique? Faut-il vouloir pour croire? La foi est-elle statique? Faut-il la nourrir pour qu'elle augmente? Faut-il désirer la posséder, comme une pierre précieuse, ou faut-il la laisser se répandre en nous?

J'ai essayé en vain de répondre à ces multiples interrogations.

Avant de te quitter, Esprit saint, permets-moi de te remercier pour la foi qui m'habite. Bonsoir et bonne nuit.

Ton épistolière, Marguerite.

Quarante-troisième épître

Montréal, le 15 juillet 2000

Bien cher Esprit saint,
Avez-vous remarqué que, dans mes dernières lettres, le «tu» a remplacé le «vous» tout naturellement? Ce changement s'est fait à mon insu. Cette plus grande intimité ne vous a pas surpris puisque vous l'espériez vous-même, n'est-ce pas? C'en est donc fait du vouvoiement. D'ailleurs je me demande pourquoi je tutoierais le Père et le Fils, et pas l'Esprit saint. Ce serait comme te mettre dans une case à part, te considérer comme inaccessible, un genre de pdg entouré de ses gardes du corps, alors que ton plus grand désir est d'être connu, aimé et «fréquenté au maximum».

Étant Esprit, tu es présent partout, et tu ne te fatigues jamais de répondre à nos requêtes. Que d'avantages tu as sur nous, et j'en profite comme tu sais! Il m'arrive même de penser que j'abuse de toi: Esprit saint par-ci, Esprit saint par-là. Je t'emploie à toutes les sauces: besoins matériels, spirituels, particuliers, universels. Tout y passe. Je te prie, t'implore, te demande et même, te commande.

Parfois, tu réponds si vite à mes prières que j'en suis presque étonnée. Alors, en guise de remerciement, je te souris simplement. À d'autres moments, tu exerces ma patience... jusqu'à l'impatience. Mais je sais que tu finiras par céder à mes instances, si c'est dans notre intérêt commun. À force de te fréquenter, je commence à connaître tes points forts, mais aussi les faibles. Ce sont les derniers qui m'intéressent le plus. Et pour cause!

Dieu le Père t'a nommé le dispensateur des dons du ciel. Si je me rappelle bien, ceux-ci sont au nombre de sept: sagesse, intelligence, conseil, force, science, piété et amour de Dieu.

Je n'hésite pas, moi qui suis si pauvre, à te les demander tous, et à profusion. Quand j'ai un urgent besoin de secours, je t'envoie un sos, et ta réponse est aussi rapide que l'éclair. Rien d'étonnant à cela dans ce monde de haute technologie: tu es toujours à l'avant-garde!

Cher Saint-Esprit, en terminant cette épître, permets-moi une dernière demande: ne pourrais-tu pas envoyer sur la terre des effusions de ton Esprit, nous manquons tellement de souffle, l'air est si pollué. Fais-nous des surprises, comme toi seul en es capable.

Ton épistolière impatiente, Marguerite.

Quarante-quatrième épître

Montréal, le 17 juillet 2000

Très cher Esprit saint,
Pourquoi les hommes recourent-ils si peu à tes services, toi qui es partout, qui vois tout et qui vois à tout? Sorte de délégué aux affaires de la terre, tu as tellement à offrir et, par surcroît, tu donnes gratuitement. Ce qui est rare de nos jours où tout se monnaye à prix d'or.

Serait-ce ta publicité qui n'est plus à la page? Peut-être n'est-elle pas assez agressive pour notre temps? Actuellement, ce sont la violence et la force qui sont à l'honneur.

Quand tu vois une bonne action à accomplir, tu repères une âme généreuse, et tu lui en donnes l'inspiration. Si elle l'accueille, bien qu'elle soit libre de refuser, tu lui donnes l'impulsion nécessaire pour agir.

Depuis la Pentecôte jusqu'à nos jours, et même avant, je présume, tu n'as cessé de répandre tes grâces sur les saints, des plus grands aux plus petits. J'avoue qu'il m'arrive parfois d'envier ce qu'ils ont fait et, surtout, ce qu'ils ont été.

Comme j'aimerais me compter parmi ces saintes femmes qui ont renoncé à tout pour toi! Je voudrais t'aimer comme Marie-Madeleine, la pécheresse qui ne pouvait plus retenir les élans de son cœur passionné vers Jésus de Nazareth.

Je voudrais t'aimer comme Marguerite Bourgeoys, une de mes saintes patronnes, qui eut le courage de quitter sa douce France pour un pays inconnu afin de servir Dieu.

Trois siècles plus tard, puisse son message ne pas se perdre!

Je voudrais t'aimer comme la petite Thérèse, dite de l'Enfant-Jésus, docteur de l'Église, autodidacte en sainteté. C'est elle qui nous a montré «la petite voie» qui mène à toi et qui est accessible à tous: il suffit simplement de vivre sa vie de tous les jours en pensant à toi.

Je voudrais t'aimer comme Mère Teresa le faisait, dans les plus pauvres de tes enfants, puisque Jésus a dit: «Ce que vous ferez aux plus petits d'entre les miens, c'est à moi que vous le ferez.»

C'est toi, Esprit saint, qui donnes la force d'accomplir de grandes choses. Hélas, moi, je ne fais que rêver de t'aimer à ce point. Pourquoi sembles-tu te contenter de mes rêves? Tu sais que je suis une petite nature, tu me ménages, tu ne m'en demandes pas trop. Tu fais bien.

Merci pour ta générosité... et ton aveuglement à mon égard. Je souhaite que cela continue.

Ta fidèle et aimante épistolière,
Marguerite.

Quarante-cinquième épître

Montréal, le 19 juillet 2000

Très cher Esprit saint,
Aujourd'hui, il est temps de passer aux aveux, et de te déclarer dans un style pour le moins lapidaire: «Esprit saint, je t'aime.» C'est clair et net.

Je découvre en toi une merveille d'amour. Esprit saint, tu es toujours là quand on a besoin de toi. Aucune demande ne semble insignifiante à tes yeux. Tu règles tout avec sagesse et intelligence, étant toi-même intelligence et sagesse. Aucun problème ne semble te rebuter... Je te soupçonne de posséder le manuel du maître.

C'est pourquoi je ne me gêne pas pour te demander des conseils et, petit à petit, te remettre tous mes soucis entre les mains. Tu dois commencer à en avoir plein les mains, avec tout ce que je te confie. Avant de te connaître, je voulais tout régler par moi-même, les problèmes du monde entier, de la société, de l'Église, de ma famille. Je n'étais jamais en paix parce que, des problèmes, il en surgit sans cesse. Je croyais que tout devait passer par moi. Maintenant, je me sens plus libre puisque je te donne tout ou presque. Non pas que je me croise les bras et que j'attende béatement les solutions d'en haut. Je fais la petite part que tu me demandes, je prie et reprie, puis j'attends patiemment. J'ai confiance en ton jugement. Toi qui vis dans le passé, le présent et l'avenir, tu détiens un net avantage sur les humains qui ne vivent que le présent.

Plus je vieillis, ou plus «je deviens sage», plus je recherche, avant tout, la paix du cœur. Cette paix est comme un état de quiétude et de confiance qui cherche à prendre racine au fond de moi. Elle me rappelle la promesse de Jésus: «Je vous laisse ma paix, je vous donne ma paix.» Je la veux à tout prix, cette paix. Il paraît qu'il suffit de s'abandonner à l'amour de Dieu. Allez-y voir! C'est plus facile à écrire qu'à faire!

J'ose te dire que je ne pourrais plus me passer de toi. Si tu trouves que j'exagère, dis-le-moi, je tempérerai mon vocabulaire. Il y a beaucoup d'égoïsme dans cette déclaration : je cherche avant tout mon intérêt personnel. J'ai une forte tendance à me rapprocher des plus puissants...

Cher Esprit saint, je te laisse démêler cet imbroglio. Tu en es capable.

Ton épistolière bien intentionnée,
Marguerite.

Quarante-sixième épître

Montréal, le 31 juillet 2000

Très précieux Esprit saint,
Comme tu as pu le constater, je ne t'ai pas écrit depuis quelque temps. Tu dois te poser des questions à mon sujet.

J'ai tout simplement vécu une période de vide, où tout ce que l'on fait semble inutile et insignifiant. On doute de soi, on est sur le point de tout lâcher, le moindre effort semble surhumain et ne donne rien. On appelle cela, en langage «médico-littéraire», le syndrome de la page blanche.

Une fois établi le diagnostic, et ayant consulté les plus grands spécialistes, j'ai eu recours au traitement le plus efficace qui soit: la prière.

Mais qu'est-ce donc que la prière? Récemment, l'une de mes petites-filles, âgée de 18 ans, m'a demandé à brûle-pourpoint: «Mémé, est-ce que tu pries, toi?» Spontanément, j'ai répondu oui et non.

Oui, je prie tout le temps. Non, je ne sais pas prier. Pauvre petite! Que voulez-vous qu'elle comprenne, alors que sa pauvre grand-mère n'y comprend rien elle-même?

Prier, pour moi, c'est essayer d'être en contact avec Dieu par tous les moyens et à tout moment. Être comme un enfant. Tout faire pour attirer son attention. Parler à tue-tête, s'il le faut, pour être sûr qu'il entende. Lui dire: «Tu vois, je suis là. Regarde-moi; j'ai besoin, pour vivre, de ton regard sur moi.» Ce regard plein de tendresse et d'amour, il le pose sur chacun de ses enfants. Je me demande pourquoi on a si peur de Dieu. Moi, je n'ai pas peur de lui, et je recherche son amour.

C'est vrai que Dieu peut paraître lointain. La distance qui nous sépare semble infranchissable. Mais Jésus est justement venu pour abolir la distance entre Dieu et sa créature. Il suffit de le regarder sur la croix pour comprendre qu'avec ses deux bras étendus, il tient le ciel et la terre réconciliés pour toujours.

Pour moi, prier, c'est aussi reconnaître que je n'ai rien à offrir à Dieu, sinon ma pauvreté. Je dois tout lui demander avec confiance. Quand j'étais enfant, puis adolescente, j'avais l'impression que je priais beaucoup : je me mettais à genoux pour réciter mes prières, matin et soir.

Maintenant, je sais que je prie, mais pas assez. De la même façon que, les apôtres demandant à Jésus : « Apprends-nous à prier », il leur enseigna le *Notre Père*, apprends-moi à ton tour, Esprit saint, à réciter le *Notre Père*.

Prier, c'est aussi s'inspirer des psaumes. Ces prières du Roi David, remplies de poésie, toujours d'actualité, et qu'on n'a jamais fini de méditer. Si je prends, au hasard, ne serait-ce qu'un extrait de psaume, « Seigneur, tout mon désir est devant toi et rien de ma plainte ne t'échappe » (psaume 37), je me sens déjà en état de prière. Mon âme exprime ainsi le désir d'être à toi, et je sais que tu m'entends. J'aime t'offrir ces prières éternelles, aussi bien que celles qui me viennent spontanément du cœur.

J'aurais encore bien des choses à dire sur la prière, mais il se fait tard. Je termine donc en faisant mienne cette merveilleuse définition : « Prier, c'est penser à Dieu, en l'aimant. »

Ta fidèle épistolière qui pense à toi,
Marguerite.

Quarante-septième épître

Très cher Esprit saint,
J'ai peine à te dire que, pour des raisons purement temporelles, je dois mettre fin à notre correspondance. Je sens qu'il va se créer un vide immense dans ma vie car, bien qu'étant Esprit, tu prenais de plus en plus de place dans mes activités. Toi seul connais le nombre d'heures passées à t'écrire, et à déchiffrer tes réponses car, sans vouloir te faire de reproches, ton langage n'est pas toujours clair... Il demande de la réflexion et du silence.

Ceci, sans oublier mes échanges avec le Père et avec notre bien-aimé à tous, Jésus-Christ! Je te prie, ici, de ne pas être jaloux, mais c'est plus fort que moi, Jésus finit toujours par reprendre la première position dans mon cœur.

Ah! loin de moi l'idée de me plaindre et de regretter le temps passé en votre si passionnante compagnie. Ce sont peut-être les heures les plus enrichissantes de ma vie. L'avenir le dira.

J'ai appris à connaître davantage la richesse de vos *personnalités* respectives. C'est pourquoi la pensée de vivre éternellement avec vous m'enchante vraiment! Un seul mot vous définit, et c'est le mot Amour. Aimer et, surtout, bien aimer est l'apprentissage de toute une vie. Certains y parviennent par leurs propres forces, d'autres trouvent plus facile de demander l'aide du Très-Haut. Dans les deux cas, il faut de la bonne volonté. Tout cela demeure bien mystérieux.

Avant de te quitter, je voudrais que tu me dises d'où vient l'amour. Serait-ce une idée originale de Dieu le Père? Voulait-il à tout prix nous faire partager l'amour qui règne au ciel? Il est si peu égoïste! Jusqu'à maintenant, l'amour est la plus belle invention qui existe sur la terre et, pour ma part, j'ose proclamer que le Père en est l'inventeur. Pour mettre sa merveilleuse invention sur le marché mondial, il a dû demander à son Fils d'en devenir le mandataire, le propagateur, le témoin, l'incarnation même, et Jésus a accepté. On peut dire qu'il a rempli sa mission jusqu'au bout. Pouvait-il faire plus que de donner sa vie pour nous apprendre à aimer?

Après l'ascension glorieuse de Jésus, c'est là que toi, Esprit saint, tu entres en scène. Grâce à ton expérience, te voilà aux commandes de cette vaste entreprise qu'on pourrait nommer en langage moderne: PAQCT (Propager l'Amour aux Quatre Coins de la Terre)!

À ce que je vois, tu as du pain sur la planche, et ton travail ne se terminera qu'à la parousie. Je vais prier pour toi, mais je te fais confiance, les difficultés ne te font pas peur. Tu en as vu d'autres et tu en es toujours sorti vainqueur. Ne lâche pas!

Malgré ma tristesse, le moment est maintenant venu de te quitter. Non sans te dire merci du fond du cœur pour toutes les pensées que tu m'as inspirées. Car c'est sûrement toi qui es à l'origine de ces épîtres... Ne sois pas triste. Dis-toi que tu n'es pas seul. Tu as beaucoup d'amis sur la terre.

Adieu et bon courage!
Avec toute ma reconnaissance,

Marguerite.

TABLE DES MATIÈRES

COLLECTION FOCUS

ROMANS EN GRANDS CARACTÈRES

Chrystine Brouillet
Marie LaFlamme
Tome 1: Marie LaFlamme
Tome 2: Nouvelle-France
Tome 3: La Renarde

Fabienne Cliff
Le Royaume de mon père
Tome 1: Mademoiselle Marianne
Tome 2: Miss Mary Ann Windsor
Tome 3: Lady Belvédère

Micheline Duff
D'un silence à l'autre: Le temps des orages
La lumière des mots: D'un silence
à l'autre, tome II

Mylène Gilbert-Dumas
Les dames de Beauchêne, tome I

Claude Lamarche
Le cœur oublié

Marguerite Lescop
Le tour de ma vie en 80 ans
En effeuillant la Marguerite
Les épîtres de Marguerite